AS CINCO FERIDAS
EMOCIONAIS

LISE BOURBEAU

AS CINCO FERIDAS EMOCIONAIS

- REJEIÇÃO
- INJUSTIÇA
- ABANDONO
- TRAIÇÃO
- HUMILHAÇÃO

Sextante

Título original: *Les cinq blessures qui empêchent d'être soi-même*

Copyright © 2000 por Lise Bourbeau
Copyright da tradução © 2017 por GMT Editores Ltda.

Todos os direitos reservados. Nenhuma parte deste livro pode ser utilizada ou reproduzida sob quaisquer meios existentes sem autorização por escrito dos editores.

tradução: André Telles
preparo de originais: Magda Tebet
revisão: Ana Grillo, Ana Kronemberger e Luis Américo Costa
diagramação: Valéria Teixeira
capa: Filipa Damião Pinto
impressão e acabamento: Bartira Gráfica e Editora S/A

CIP-BRASIL. CATALOGAÇÃO NA PUBLICAÇÃO
SINDICATO NACIONAL DOS EDITORES DE LIVROS, RJ

B778c   Bourbeau, Lise, 1941-

As cinco feridas emocionais/Lise Bourbeau; tradução de André Telles. Rio de Janeiro: Sextante, 2020.
176 p.; 14 x 21 cm.

Tradução de: Les cinq blessures qui empêchent d'être soi-même
ISBN 978-65-5564-084-7

1. Emoções. 2. Autorrealização. I. Telles, André. II. Título.

20-65795   CDD: 152.4
                                          CDU: 159.942

Todos os direitos reservados, no Brasil, por
GMT Editores Ltda.
Rua Voluntários da Pátria, 45 – 14.º andar – Botafogo
22270-000 – Rio de Janeiro – RJ
Tel.: (21) 2538-4100
E-mail: atendimento@sextante.com.br
www.sextante.com.br

SUMÁRIO

Prefácio   7

1. Criação das feridas e das máscaras   9

2. A rejeição   21

3. O abandono   41

4. A humilhação   65

5. A traição   89

6. A injustiça   117

7. Cura das feridas e transformação das máscaras   139

Agradecimentos   170

PREFÁCIO

A concretização deste livro só foi possível graças à perseverança de muitos pesquisadores que, como eu, não hesitaram em divulgar o fruto de seus estudos e pesquisas, a despeito da controvérsia e do ceticismo que estes suscitam. Os pesquisadores se preparam para conviver com a adversidade, sabendo que poderão ter suas obras criticadas. Eles são motivados pelo desejo de estimular a evolução humana e por aqueles que aceitam suas descobertas. Dentre os pesquisadores, o primeiro a quem faço questão de agradecer é o médico austríaco Sigmund Freud, por sua descoberta monumental do inconsciente e por ter ousado afirmar que a esfera física tem um elo com as dimensões emocional e mental do ser humano.

Meus agradecimentos seguintes vão para um de seus alunos, Wilhelm Reich, que foi, a meu ver, o grande precursor da metafísica. Reich foi o primeiro a estabelecer a ligação entre a psicologia e a fisiologia, comprovando que as neuroses afetam não somente a mente, mas também o corpo.

Agradeço também aos psiquiatras John C. Pierrakos e Alexander Lowen, ambos alunos de Wilhelm Reich e criadores da bioenergética, teoria que mostrou a importante implicação das emoções e do pensamento na vontade de curar o corpo físico.

Foi, principalmente, graças aos trabalhos de John Pierrakos e de sua companheira Eva Brooks que pude realizar o estudo que você encontrará neste livro. Depois de um estágio muito interessante em 1992 com Barry Walker, aluno de Pierrakos, estudei e pesquisei incansavelmente para chegar à síntese das cinco feridas emocionais e das máscaras que as acompanham. Na verdade, tudo que é aqui descrito foi objeto de inúmeras comprovações desde 1992, tanto por meio dos milhares de pessoas que fizeram minhas oficinas quanto por experiências extraídas da minha vida pessoal.

Não há prova científica do que é proposto neste livro, mas convido você a conhecê-lo antes de rejeitá-lo, testando o que é aqui apresentado em prol da melhora de sua qualidade de vida.

Se esta é a primeira vez que você lê uma obra de minha autoria, é possível que algumas expressões o surpreendam. Faço, por exemplo, uma nítida distinção entre sentimento e emoção, dominar e controlar. Mas não se preocupe: o sentido que dou a tais palavras fica claro no contexto.

Este livro é dirigido tanto ao público feminino quanto ao masculino. Nele utilizo algumas vezes a palavra Deus. E ressalto que, quando falo em Deus, refiro-me ao Eu Superior, o ser verdadeiro, o Eu que conhece suas reais necessidades para viver no amor, na felicidade, na harmonia, na paz, na saúde, na abundância e na alegria.

Desejo que você tenha tanto prazer em se descobrir nestas páginas quanto eu tive em partilhar minhas descobertas.

Com amor,
Lise Bourbeau

CAPÍTULO 1
CRIAÇÃO DAS FERIDAS E DAS MÁSCARAS

Quando uma criança nasce, ela sabe que a razão de estar encarnando é ser ela mesma. Sua alma escolhe precisamente a família e o ambiente em que vai nascer. Todos nós temos a mesma missão neste planeta: viver experiências até conseguir aceitá-las e nos amar através delas.

Se uma experiência é vivida na não aceitação, ou seja, em meio a julgamento, culpa, medo, remorso ou algo assim, a pessoa atrai para si, de modo constante, circunstâncias e indivíduos que a fazem reviver essa experiência. Alguns não apenas vivenciam o mesmo tipo de acontecimento várias vezes ao longo da vida como podem reencarnar uma ou mais vezes a fim de aceitá-lo completamente.

Aceitar uma experiência não significa concordar com ela. Trata-se, na verdade, de nos conceder o direito de experimentar e aprender. Devemos, sobretudo, aprender a reconhecer o que nos é benéfico e o que não é. O único meio de conseguir isso é tornando-nos conscientes dos efeitos de tal experiência. Tudo o que decidimos ou não, fazemos ou não, falamos ou não, e até mesmo o que pensamos e sentimos, acarreta consequências.

Quando uma pessoa se dá conta das consequências danosas provocadas por determinada experiência, ela deve, em vez de se recriminar ou querer mal ao seu semelhante, aprender a aceitar ter escolhido (ainda que inconscientemente) viver aquilo e a perceber que não era algo bom para si. É assim que vivemos uma experiência na aceitação. Mas é preciso salientar que, mesmo quando você diz "Não quero mais viver isso", tudo pode voltar a acontecer. Dê-se o direito de repetir várias vezes o mesmo erro ou de reviver um fato desagradável antes de conseguir reunir a vontade e a coragem necessárias para se transformar. Por que não compreendemos as coisas logo de cara? Por causa do nosso ego, que é alimentado pelas nossas crenças.

Todos nós cultivamos inúmeras crenças que nos impedem de ser o que queremos ser. Quando essas crenças ou maneiras de pensar nos prejudicam, tentamos ocultá-las. E as ocultamos tanto que chegamos a acreditar que elas não existem mais. Ficar quites com elas exige então que encarnemos várias vezes. Somente quando nossos corpos mental, emocional e físico estiverem em sintonia com o nosso Deus interior é que nossa alma será totalmente feliz.

Tudo o que é vivido na não aceitação se acumula no nível da alma. Esta, sendo imortal, retorna incessantemente, com grande bagagem acumulada em sua memória. Antes de nascer, decidimos o que queremos saldar durante a próxima encarnação. Mas essa decisão e tudo o que acumulamos no passado não são gravados em nossa memória consciente. É apenas ao longo de nossa existência que nos tornamos gradualmente conscientes do nosso plano de vida e do que devemos pagar.

Quando faço alusão a alguma coisa "não quitada", refiro-me a uma experiência vivida na não aceitação. Há uma diferença entre aceitar uma experiência e aceitar a si mesmo. Tomemos como exemplo o caso de uma moça que foi rejeitada pelo pai, pois este desejava ter um menino. Numa situação assim, aceitar a experiência consiste em dar ao pai o direito de ter desejado um menino e rejeitado a filha. E, para essa moça, a aceitação de si consiste em dar-se o direito de ter odiado o pai e em perdoar-se por tê-lo odiado. Não deve existir nenhum julgamento com relação ao pai e a ela própria, apenas compaixão e compreensão pelo sofrimento de cada um deles.

Ela saberá que a experiência foi resolvida quando se permitir fazer ou dizer alguma coisa que faça o outro vivenciar uma rejeição. Outra maneira de ela saber que a situação foi realmente quitada e plenamente aceita é perceber que a pessoa que ela tiver "rejeitado" não irá lhe querer mal, pois sabe que ser rejeitado por alguém em determinados momentos da vida é algo que acontece com todo mundo.

Não se deixe levar pelo ego, que costuma tentar, por todos os meios, nos fazer crer que resolvemos uma situação. Muitas vezes pensamos "Ora, compreendo que o outro tenha agido assim" apenas para não precisarmos olhar para nós mesmos e nos perdoar. Nosso ego, dessa forma, tenta encontrar uma maneira furtiva de esquivar-se de situações desagradáveis. Às vezes aceitamos uma situação ou uma pessoa sem termos nos perdoado ou nos permitido odiá-la. Isso se chama "aceitar tão somente a experiência". Repito: é importante fazer a distinção entre a aceitação da experiência e a aceitação de si. Esta última é difícil de realizar, pois nosso ego recusa-se a admitir que todas as experiências penosas que vivemos têm como objetivo nos mostrar que agimos da mesma maneira com nossos semelhantes.

Já reparou que, **quando você acusa alguém de alguma coisa, esse mesmo alguém acusa você da mesma coisa?**

Daí a importância de aprender a se conhecer e a se aceitar. É isso que nos possibilita vivenciar cada vez menos situações dolorosas. Só depende de você decidir tomar as rédeas e ser dono da sua vida em vez de deixar seu ego controlá-la. Fazer face a tudo isso, no entanto, exige uma boa dose de coragem, pois inevitavelmente tocamos em velhas feridas que podem doer muito, sobretudo se as arrastamos conosco há várias vidas. Quanto mais você sofre por causa de uma situação ou de uma pessoa específica, mais antigo é o problema.

Para ajudá-lo, você pode contar com seu Deus interior, que é onisciente (Ele conhece tudo), onipresente (Ele está em toda parte) e onipotente (Ele é todo-poderoso). Essa força está sempre presente, agindo em você. Ela atua de maneira a guiá-lo para as pessoas e situações necessárias para que você cresça e evolua conforme o plano de vida escolhido antes de seu nascimento.

Antes mesmo de nascer, seu Deus interior atrai sua alma para o ambiente e a família de que você precisará em sua próxima vida. Essa atração magnética e esses objetivos são determinados, de um lado, pelo que você ainda não conseguiu viver no amor e na aceitação em suas vidas anteriores, e, de outro, pelo que seus futuros pais terão de resolver por intermédio de uma criança como você. É isso que explica porque pais e filhos geralmente têm as mesmas feridas para curar.

Ao nascer, você não tem mais consciência de tudo que aconteceu e se concentra principalmente nas necessidades da sua alma, que espera que você se aceite com seus defeitos, conquistas, forças, fraquezas, desejos, personalidade, etc. Todos nós temos tais necessidades. Entretanto, pouco depois de nosso nascimento, percebemos que, quando ousamos ser nós mesmos, perturbamos o mundo dos adultos ou daqueles que nos são próximos. Deduzimos, portanto, que ser natural não é direito, não é correto. Essa descoberta é dolorosa e provoca acessos de raiva, principalmente na criança. Esses acessos se tornam tão frequentes que passamos a achar que são normais. São designados como "crises da infância" ou, mais tarde, "crises da adolescência". Podem até ter se tornado comuns para os humanos, mas naturais é que certamente não são. Uma criança que age com naturalidade, que é equilibrada e se dá o direito de ser ela mesma não é acometida por esse tipo de crise. Infelizmente, crianças assim quase não existem. Na verdade, observei que a maioria das crianças passa por quatro fases:

Após conhecer a alegria de ser ela mesma (a primeira fase de sua existência), ela conhece a dor de não ter o direito de agir assim (a segunda fase). Então vem o período de crise e revolta (a terceira fase). Para mitigar a dor, a criança se resigna e termina por criar uma nova personalidade, tornando-se o que os outros querem que ela seja. Algumas pessoas permanecem paralisadas na terceira fase a vida inteira, isto é, vivem continuamente revoltadas ou em situação de crise.

É durante a quarta fase que criamos diversas máscaras (novas personalidades), que servem para nos proteger do sofrimento vivido por ocasião da segunda. **As cinco máscaras que criamos correspondem às cinco grandes feridas básicas vividas pelo ser humano.** Anos e anos de observação me permitiram constatar que todos os sofrimentos humanos podem ser condensados em cinco feridas. Ei-las em ordem cronológica, conforme cada uma surge no curso de uma vida:

REJEIÇÃO
ABANDONO
HUMILHAÇÃO
TRAIÇÃO
INJUSTIÇA

Quando permitimos que nosso ego, com seus medos e crenças, dirija nossa vida, não somos fiéis ao nosso Deus interior e às necessidades de nosso ser. O uso de máscaras é a consequência de querermos esconder, de nós mesmos ou dos outros, aquilo que ainda não quitamos. Essa atitude é uma forma de traição. Que máscaras são essas? Aqui estão elas, acompanhadas das feridas que tentam esconder:

FERIDA	MÁSCARA
Rejeição	Escapista
Abandono	Dependente
Humilhação	Masoquista
Traição	Controlador
Injustiça	Rígido

Essas feridas e máscaras serão explicadas em detalhe nos capítulos seguintes. A importância da máscara é proporcional ao grau da ferida. Uma máscara representa um tipo de pessoa com um caráter que lhe é próprio, pois numerosas crenças serão desenvolvidas e influenciarão a atitude interior e os comportamentos da pessoa. Quanto mais grave a ferida, mais frequente o sofrimento causado por ela, o que obrigará a pessoa a vestir sua máscara mais assiduamente.

Incorporamos uma máscara somente quando queremos nos proteger. Por exemplo, se uma pessoa percebe uma injustiça em determinado episódio ou tem medo de ser ou de se achar injusta, ela veste sua máscara de rígida, adotando o comportamento de uma pessoa rigorosa e inflexível.

Eis uma metáfora que ilustra a maneira como a ferida e a máscara correspondente estão ligadas. A ferida interior pode ser comparada a uma ferida física, como, por exemplo, um ferimento que você tem na mão há muito tempo, mas ignorou e não tratou, preferindo usar uma luva para não vê-lo. Essa luva equivale à máscara. Você acreditou que assim poderia fingir não estar ferido. Acha realmente que é a solução? Claro que não é! Todos nós sabemos disso, mas o ego não sabe. Essa é uma das maneiras a que ele recorre para nos pregar uma peça.

Voltemos ao exemplo do ferimento. Digamos que essa lesão doa muito quando tocam em sua mão, mesmo ela estando protegida por uma luva. Bem, quando alguém segura sua mão com amor e você grita "Ai! Está me machucando", pode imaginar a surpresa do outro? Ele realmente quis machucar? Não, pois, afinal, se você sofre com esse toque é porque decidiu não tratar a ferida. A outra pessoa não tem culpa de sua dor.

É assim com todas as feridas emocionais. São muitas as ocasiões em que nos julgamos rejeitados, abandonados, traídos, humilhados ou tratados de forma injusta. Na realidade, todas as vezes que nos sentimos feridos, nosso ego acredita que outro indivíduo deve ser recriminado. Sempre procuramos culpar alguém pela nossa dor. Às vezes culpamos a nós mesmos, e isso é tão injusto quanto culpar outra pessoa. Na vida, não existem pessoas culpadas: apenas pessoas sofredoras. Sei agora que quanto mais acusamos (a nós ou aos demais) pelo nosso sofrimento, mais a experiência se repete. A acusação só serve para nos deixar infelizes. Porém, quando olhamos com compaixão aquele que sofre, os acontecimentos, as situações e as pessoas começam a se transformar.

As máscaras que criamos para nos proteger são visíveis em nossa aparência exterior. Costumam me perguntar se é possível diagnosticar as feridas nos bebês. No meu caso, divirto-me observando meus sete netos, que, no momento em que escrevo estas linhas, têm entre 7 meses e 9 anos. Já começo a ver, na maioria deles, suas feridas externadas em sua aparência física. Em contrapartida, em dois de meus três filhos pude observar que seu corpo de adulto manifesta feridas distintas das que eu via quando eram crianças e adolescentes.

O corpo é tão inteligente que sempre encontra um meio de nos informar o que devemos quitar. Na realidade, é nosso Deus interior que utiliza o nosso corpo para falar conosco.

Nos próximos capítulos, você descobrirá como reconhecer suas máscaras e as dos outros. No último capítulo, falo dos novos comportamentos a serem adotados para curar essas feridas negligenciadas e, assim, parar de sofrer. A transformação das máscaras que escondem essas feridas acontece naturalmente.

Entretanto, é importante não nos prendermos aos termos empregados para designar as feridas ou as máscaras. Uma pessoa pode ser rejeitada e sofrer de injustiça, outra pode ser traída e vivenciar isso como uma rejeição, outra ainda pode ser abandonada e se sentir humilhada, e assim por diante.

Quando chegarmos à descrição de cada ferida e de suas características, isso ficará mais claro para você.

Os cinco tipos de comportamento descritos neste livro podem assemelhar-se aos descritos por outros estudos. Cada estudo tem sua peculiaridade e este não tem a intenção de abolir ou substituir os outros já empreendidos. Aliás, uma dessas teorias, elaborada pelo psicólogo Gerard Heymans há aproximadamente 100 anos, continua popular nos dias de hoje. Nela, encontramos oito tipos de personalidade: o apaixonado, o colérico, o nervoso, o sentimental, o sanguíneo, o fleumático, o apático e o amorfo. Quando ele utiliza a palavra apaixonado para descrever um tipo de pessoa, isso não impede os outros tipos de viverem a experiência da paixão em suas vidas. Os termos utilizados têm a função de definir o caráter dominante de uma pessoa. Repito, então, que você não deve se prender ao sentido literal das palavras.

Ao ler a descrição do comportamento e da atitude da máscara de cada ferida, é possível que você se reconheça em cada uma delas. No entanto, é muito raro uma pessoa carregar as cinco feridas. Daí a importância de memorizar a descrição do corpo físico, já que este reflete fielmente o que se passa no interior da pessoa. É muito mais difícil nos reconhecermos pelos planos emocional e mental. Lembre-se de que nosso ego não quer que descubramos todas as nossas crenças, pois é com elas que o alimentamos e é graças a elas que ele sobrevive.

É possível que você sinta certa resistência ao tomar consciência de que as pessoas que sofrem de determinada ferida estão reagindo ao pai ou à mãe. Antes de chegar a tal conclusão, observei milhares de pessoas e verifiquei que a afirmação é verdadeira. Repito aqui o que digo em toda oficina que dou: **dos pais, aquele com o qual acreditamos nos entender melhor quando somos adolescentes é justamente aquele com quem temos mais coisas a acertar.** É normal sentir dificuldade de aceitar que pensemos mal do pai ou da mãe que tanto amamos. A primeira reação a essa constatação é em geral a negação, depois a raiva e, por fim, a aceitação da realidade: é o início da cura.

É possível que a descrição do comportamento e das atitudes ligados às diferentes feridas lhe pareça negativa. Ao reconhecer uma de suas feridas, é provável, então, que você resista a admitir que criou essa máscara para evitar sofrer. Essa resistência é muito normal e humana. Dê-se um tempo. Lembre-se de que, quando é sua máscara que o faz agir, você não está sendo você mesmo. Não é reconfortante saber, quando um comportamento de outra pessoa lhe desagrada, que isso indica que ela acaba de colocar uma máscara para evitar sofrer? Com isso em mente, será mais fácil ser tolerante e olhá-la com amor. Tomemos como exemplo um homem "durão". Quando você descobre que ele se comporta assim para esconder a vulnerabilidade e o medo, sua abordagem muda, pois sabe que ele não é durão nem perigoso. Você mantém a calma e pode inclusive observar suas qualidades, em vez de temê-lo e ver apenas seus defeitos.

É animador saber que, mesmo nascendo com feridas para serem curadas, as quais são regularmente despertadas por sua reação às pessoas e circunstâncias que o cercam, as máscaras que você criou para se proteger não são permanentes. Colocando em prática os métodos terapêuticos sugeridos no último capítulo, você verá suas máscaras ruírem pouco a pouco. Em consequência, sua atitude vai se transformar e, possivelmente, seu corpo também.

No entanto, pode levar muitos anos até isso se manifestar no corpo físico, pois este, devido à matéria tangível de que é constituído, se transforma sempre lentamente. Nossos corpos mais sutis (emocional e mental) levam menos tempo para se modificar. Por exemplo, é muito fácil desejar (emocional) e imaginar-se (mental) visitando outro país. A decisão de realizar essa viagem pode levar poucos minutos. Em contrapartida, o planejamento – organizar tudo, economizar o dinheiro necessário, etc. – para sua concretização no mundo físico demandará mais tempo.

Um bom meio de observar suas transformações físicas é se fotografar todos os anos. Tente fazer closes de todas as partes do seu corpo a fim de enxergar bem os detalhes. É verdade que algumas pessoas mudam mais depressa do que outras, assim como certos indivíduos podem conseguir concretizar sua viagem mais rapidamente do que outros. O importante é nunca deixar de trabalhar sua transformação interior, pois é isso que fará de você um ser mais feliz.

Durante a leitura dos próximos cinco capítulos, sugiro que

anote tudo que julgue corresponder a você. Em seguida, releia os capítulos que descrevem melhor seu comportamento e, sobretudo, sua aparência física.

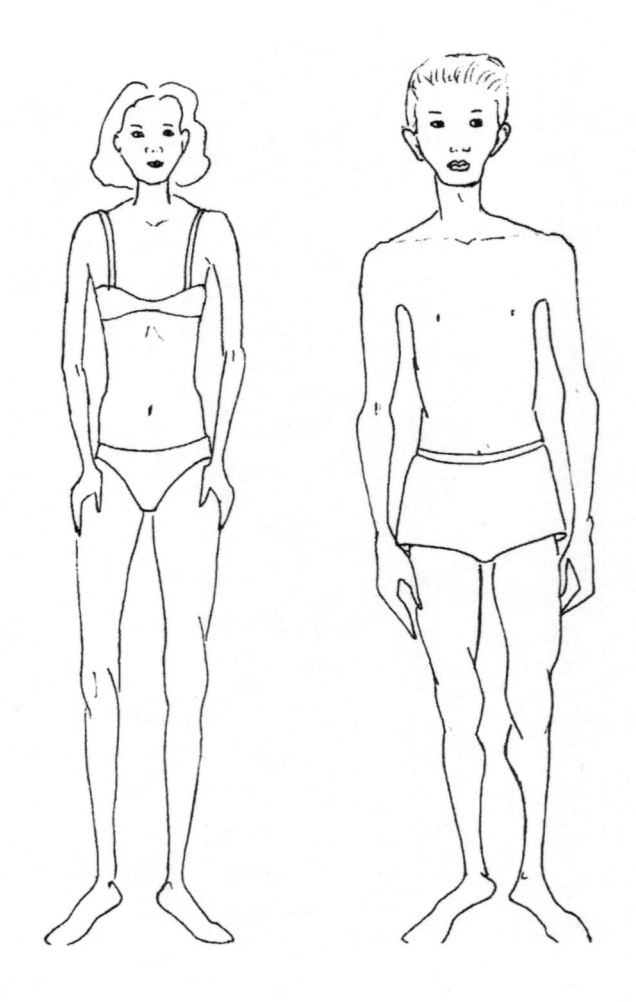

ASPECTO FÍSICO DO ESCAPISTA
(FERIDA DA REJEIÇÃO)

CAPÍTULO 2
A REJEIÇÃO

Eis algumas definições que o dicionário nos fornece para a palavra "rejeitar": repelir; afastar; recusar; pôr de lado, largar; não acolher; não assimilar; excluir.

Muita gente tem dificuldade em estabelecer a diferença entre rejeitar e abandonar. Abandonar alguém é afastar-se dele em prol de outra coisa ou outro alguém, ao passo que rejeitar uma pessoa é rechaçá-la, não querer tê-la ao seu lado ou em sua vida. Aquele que rejeita usa a expressão "eu não quero", enquanto o que abandona prefere dizer "eu não posso".

A rejeição é uma ferida muito profunda, pois aquele que sofre por causa dela se sente rejeitado em seu ser e, principalmente, em seu direito de existir. Entre as cinco feridas, ela é a primeira a se manifestar na vida de uma pessoa. A alma que regressa à Terra com o objetivo de trabalhar essa ferida vive a rejeição desde o nascimento e, muitas vezes, antes mesmo de nascer.

Tomemos o exemplo do bebê não desejado, aquele que chega, como se costuma dizer, "por acidente". Se a alma dessa criança não quitar o sentimento de rejeição, ou seja, se não conseguir ficar bem e ser ela mesma apesar desse sentimento, o bebê viverá necessariamente tal rejeição. Um exemplo flagrante é o caso do recém-nascido que não é do sexo desejado pelos pais. Existem, naturalmente, outras razões pelas quais um dos pais rejeita o filho; o importante aqui é perceber que só as almas com necessidade de viver essa experiência serão atraídas para um ou ambos os pais que rejeitarão o filho.

A partir do instante em que o bebê passa a se sentir rejeitado, ele começa a fabricar uma máscara. Nas inúmeras regressões ao estado fetal a que assisti, pude observar que a pessoa acometida da ferida da rejeição via-se muito pequena no ventre da mãe, ocupando um espaço bastante exíguo e escuro. Isso me confirmou que a máscara pode começar a se forjar antes mesmo do nascimento.

Chamo sua atenção para o fato de que, ao longo do livro, utilizarei o termo *escapista* para designar a pessoa que padece da rejeição. A máscara do escapista é a nova personalidade, o caráter desenvolvido para evitar sofrer a rejeição.

Essa máscara é reconhecida fisicamente por um corpo escapista, isto é, um corpo que parece querer desaparecer. Esse corpo é estreito e contraído, o que permite que ele se esquive ou não se mostre muito presente ou visível num grupo. É um corpo que evita ocupar muito espaço, semelhante ao escapista, que tentará a vida inteira se ofuscar. Quando temos a impressão de que quase não há carne sobre os ossos, que a pele aparenta estar grudada ao esqueleto, podemos deduzir que a ferida da rejeição é ainda maior.

O escapista é uma pessoa que duvida de seu direito à existência e que parece não ter encarnado completamente. Isso explica sua aparência um tanto fragmentada, incompleta, como se as partes do corpo não se encaixassem. O lado direito do corpo ou do rosto, por exemplo, pode ser muito diferente do esquerdo. Tudo isso é facilmente perceptível (mesmo que saibamos que é muito raro encontrar alguém cujos dois lados do corpo sejam idênticos).

Um corpo fragmentado é aquele em que se tem a impressão de

que falta algo – as nádegas e os seios são diminutos, o queixo é quase inexistente, os tornozelos são muito menores que as panturrilhas. Isso também pode se manifestar pela desarmonia entre as partes superior e inferior do corpo.

Por vezes tem-se a sensação de que a pessoa parece dobrar-se sobre si mesma. Seus ombros se voltam para a frente e os braços se mantêm quase sempre colados ao corpo. Temos igualmente a impressão de um bloqueio no crescimento desse corpo, como se uma parte não tivesse a mesma idade que o restante, como um adulto num corpo de criança.

Quando você vir alguém com um corpo desproporcional que desperte sua compaixão, pode ter certeza de que essa pessoa sofre de uma ferida de rejeição. A alma, aliás, escolheu esse tipo de corpo antes de nascer a fim de se colocar numa situação propícia a superar essa ferida.

O rosto e os olhos do escapista são pequenos. Os olhos parecem vazios, pois a pessoa afetada por essa ferida tem uma grande tendência a se refugiar em seu mundo interior ou devanear. Observando sua fisionomia, às vezes temos a impressão de ver uma máscara, sobretudo em volta dos olhos, que parecem estar sempre com olheiras. É possível que ele próprio tenha a impressão de enxergar através de uma máscara. Algumas pessoas escapistas me contaram que essa impressão podia durar um dia inteiro ou apenas alguns minutos. Essa é uma forma de ausentar-se da realidade para evitar sofrer, então pouco importa o tempo.

Quando uma pessoa possui todas as características mencionadas acima, sua ferida da rejeição é muito mais profunda do que se ela tivesse, por exemplo, apenas os olhos do escapista. Quando o corpo de alguém revela cerca de 50% das características físicas do escapista, podemos deduzir que ele utiliza sua máscara para se proteger da rejeição cerca de 50% do tempo. Seria o caso, por exemplo, de uma pessoa extremamente gorda com tornozelos minúsculos. Ter apenas uma parte do corpo correspondente às características do escapista indica que a ferida da rejeição é menor.

Usar uma máscara significa não sermos nós mesmos. Acreditamos, desde muito jovens, que ela nos protegerá. A primeira reação de uma pessoa que se sente rejeitada é fugir. A criança prestes a criar para si uma máscara de escapista, ao sentir a rejeição, é aquela que viverá a maior parte do tempo em seu mundo imaginário. O que explica por que ela é, em geral, bem-comportada e sossegada, não criando problemas e não fazendo barulho.

Ela se diverte sozinha em seu mundo imaginário, erguendo castelos e fantasiando histórias. Pode inclusive achar que quando bebê foi trocada no hospital ou que foi adotada. É o tipo de criança que inventa todos os motivos para não ficar em casa, que deseja, por exemplo, correr para a escola. Mas que, uma vez na escola, sentindo-se rejeitada ou se rejeitando, também não reconhece aquele ambiente como seu mundo. Uma senhora chegou a me contar que se sentia uma "turista" nos tempos de escola.

Na verdade, porém, esse tipo de criança quer que percebamos que ela existe mesmo não acreditando muito em seu direito de existir. Como exemplo disso, penso numa garotinha que se esconde atrás de um móvel no momento em que seus pais estão com visitas em casa. Ao constatarem sua ausência, todos se põem a procurá-la, mas, mesmo vendo a preocupação geral, ela não deixa seu esconderijo e rumina: "Não quero que me encontrem. Quero que eles se deem conta de que existo." Eis uma garotinha que crê tão pouco em seu direito de existir que precisa criar situações para tentar provar isso a si mesma.

Sendo geralmente uma criança franzina, ela lembra muitas vezes uma boneca, alguém frágil. Eis por que a mãe costuma superprotegê-la, dizendo que ela é muito pequena para isso, muito pequena para aquilo. A criança acredita nisso de tal forma que desenvolve problemas de crescimento. Para ela, ser amada torna-se então "ser sufocada". Mais tarde, sua reação será rejeitar ou fugir quando alguém a amar, pois terá medo dessa sufocação. Uma criança superprotegida se sente rejeitada porque crê que não é aceita pelo que é. Para tentar compensar sua compleição franzina, os outros procuram fazer e pensar tudo por ela, e, em vez de se sentir amada nessas circunstâncias, a criança se sente rejeitada em suas capacidades. Seu desprendimento com relação às coisas materiais lhe cria dificuldades na vida sexual. Ela pode acabar acreditando que a sexualidade interfere na espiritualidade. Várias mulheres escapistas já me disseram que julgavam que o sexo não era espiritual, sobretudo depois que se tornaram mães. Quando ficam grávidas, é comum os maridos se recusarem inclusive a fazer amor com elas. As pessoas escapistas têm dificuldade em conceber sua necessidade de sexualidade como um ser humano normal. Ou atraem situações em que são rejeitadas no plano sexual pelo parceiro ou se distanciam completamente da própria sexualidade.

A ferida da rejeição é vivida com o genitor do mesmo sexo. Se você se reconhece na descrição de uma pessoa que se sente rejeitada, isso quer dizer que você viveu essa rejeição com seu pai, se você for homem, ou com sua mãe, se for mulher. Esse pai ou essa mãe, portanto, foi o primeiro a contribuir para despertar sua ferida já existente. Então é normal não aceitá-lo e censurá-lo a ponto de odiá-lo.

O genitor do mesmo sexo tem como função nos ensinar a amar, a nos amar e a dar amor. O genitor do sexo oposto nos ensina a receber amor.

Ao não aceitar aquele, de seus pais, que tem o mesmo sexo que o seu, também é normal decidir não elegê-lo como modelo. Se você se julga com essa ferida, essa não aceitação explica suas dificuldades em se aceitar e se amar.

O escapista se julga sem valor, uma nulidade, um inútil. É por essa razão que ele vai tentar, por todos os meios, ser perfeito – para se valorizar a seus olhos e aos dos outros. A palavra "nulidade" e suas variantes estão bastante presentes em seu vocabulário quando ele fala de si ou dos outros. Ele é capaz de dizer coisas como:

- "Meu chefe me dizia que eu era insignificante, então fui embora."
- "Minha mãe é inútil em tudo que se refere a tarefas domésticas."
- "Meu pai sempre foi um zero à esquerda para minha mãe, assim como meu marido é comigo. Não a censuro por ter ido embora."

Também utilizamos a palavra "nada" no mesmo sentido de "nulidade". Por exemplo:

- "Sei que não valho nada, que os outros são mais interessantes do que eu."
- "Pouco importa o que eu faça, nunca dá em nada, tenho sempre que recomeçar."
- "Faça o que quiser, isso não me afeta em nada."

Certa vez, um homem escapista contou, durante um workshop, que se sentia inútil e imprestável diante do pai. Ele disse: "Quando ele fala comigo, me sinto derrotado, sinto falta de ar e só penso em escapar. Sua presença é o suficiente para me oprimir." E uma senhora escapista me contou que, aos 16 anos de idade, decidiu que sua mãe não significava mais "nada" para ela quando esta lhe disse que ela podia desaparecer ou morrer pois isso seria muito oportuno. Para escapar, desligou-se por completo da mãe.

É interessante observar que é principalmente o genitor do mesmo sexo que incentiva a fuga da criança que se sente rejeitada. Uma situação muito comum de acontecer é a da criança que diz que quer sair de casa e a quem um dos pais diz: "Boa ideia, pode ir, assim ficaremos livres de você!" A criança se sente então ainda mais rejeitada e odeia ainda mais aquele que lhe disse isso. Esse tipo de situação acontece com um genitor que também tem a ferida da rejeição. Ele estimula a fuga porque, mesmo não tendo consciência disso, o recurso lhe é familiar.

A palavra "inexistente" também faz parte do vocabulário do escapista. Por exemplo: às perguntas "Como vai sua vida sexual?" e "Como são suas relações com fulano?", um escapista responderá "inexistente", quando a maioria das pessoas diria simplesmente que não vai bem.

Ele utiliza também a palavra "sumir". Dirá, por exemplo: "Meu pai chamava minha mãe de vagabunda... e eu queria sumir" ou "Eu queria que meus pais sumissem".

O escapista procura a solidão, pois se recebesse muita atenção teria medo de não saber como agir. É como se sua existência fosse um excedente. Em família e em qualquer grupo, ele se apaga. Acredita que merece passar por situações desagradáveis, como se não tivesse o direito de reagir. De qualquer forma, não vê o que poderia fazer de diferente. Tomemos o exemplo de uma garotinha que pede à mãe que a ajude com seus deveres escolares e ouve como resposta: "Peça a seu pai. Não vê que estou ocupada demais e que ele não está fazendo nada?" Sentindo-se rejeitada, sua primeira reação é pensar: "Sou uma pessoa desinteressante, é por isso que minha mãe não quer me ajudar." Em seguida ela irá procurar um lugar para ficar sozinha.

O escapista costuma ter poucos amigos na escola e, mais tarde, no trabalho. É considerado um solitário que precisa ser deixado em paz. Quanto mais se isola, mais invisível parece tornar-se. Entra num círculo vicioso: quando se sente rejeitado, veste a máscara do escapista para não sofrer, então torna-se tão apagado que os outros não o enxergam mais. Vê-se cada vez mais sozinho e acha aceitável sentir-se rejeitado.

Certa vez, ao encerrar um workshop, no momento em que todos estavam compartilhando suas vivências, fiquei surpresa ao constatar a presença de uma pessoa que eu não havia notado durante os dois dias de curso que eu ministrara! "Mas onde ela estava esse tempo todo?", pensei. Pouco depois, me dei conta de que ela tinha um corpo de escapista e que deu um jeito de não falar e não fazer perguntas durante o evento, sentando-se atrás de todo mundo, de maneira a não ser vista. Quando aponto para essas pessoas que se retraem muito, elas respondem quase sempre: "Eu não tinha algo interessante para dizer. Por isso não falei nada."

De fato, o escapista em geral fala pouco. Quando começa a se manifestar em demasia, é para tentar se valorizar, e suas palavras podem parecer arrogantes aos olhos dos outros.

O escapista costuma desenvolver problemas de pele para não ser tocado. Sendo a pele um órgão de contato, seu aspecto pode atrair ou rechaçar outra pessoa. Ouvi diversas vezes indivíduos escapistas dizerem: "Tenho a impressão de que, quando me tocam, me tiram do meu casulo." Essa ferida induz a pessoa a crer que, se ela viver no seu mundinho, deixará de sofrer, pois não rejeitará nem será rejeitada por ninguém. Eis por que, num grupo, prefere muitas vezes não participar e se retrair. Ela se retira para o seu casulo.

É por isso também que o escapista devaneia com facilidade embora, em geral, seja de modo inconsciente. Tanto que ele pode inclusive pensar que esse comportamento é normal e que os outros estão frequentemente "no mundo da lua", como ele. Disperso em suas ideias, podemos ouvi-lo dizer às vezes: "Preciso juntar os meus cacos." Ele tem a impressão de estar em pedaços. Essa sensação está especialmente presente naquele cujo corpo parece desarmônico. Já ouvi relatos de pessoas que disseram ter a nítida impressão de haver uma separação entre a parte superior e a inferior de seu corpo, como se uma linha as apertasse na altura da cintura. Conheci uma senhora que sentia essa linha logo abaixo dos seios. Após aplicar a técnica do abandono que ensino numa de minhas oficinas, ela sentiu as partes superior e inferior de seu corpo se juntarem e ficou pasma com essa nova sensação. Isso lhe permitiu compreender que desde a infância ela não sabia o que era estar verdadeiramente em seu corpo. Não sabia o que significava "estar conectada com a Terra".

Observei em minhas oficinas, sobretudo nas mulheres escapistas, que elas tendem a sentar numa cadeira com as pernas cruzadas sob as coxas. Não tendo os pés bem conectados ao solo, elas podem evadir-se mais facilmente. O fato de terem pagado o curso indica que, embora sintam dificuldade para se integrar, uma parte delas quer estar ali. Digo-lhes, então, que elas têm a opção de devanear e perder os acontecimentos ou ficar conectadas e participar dos fatos.

Como eu disse antes, o escapista não se sentiu aceito nem acolhido pelo genitor do mesmo sexo. Isso não quer dizer que este necessariamente o rejeitou. Na verdade, foi ele quem se sentiu assim. Essa mesma alma teria retornado com uma ferida de humilhação a ser curada e se sentido humilhada com os mesmos pais tendo a mesma atitude. Em contrapartida, é evidente que o escapista atrai para si mais experiências de verdadeira rejeição do que outra pessoa, como um irmão ou irmã, que não tenha essa ferida.

A pessoa que sofre de rejeição procura incessantemente o amor do genitor do mesmo sexo que ela, seja buscando esse pai ou mãe, seja transferindo sua busca para outras pessoas do mesmo sexo. Julga não ser um indivíduo completo enquanto não houver conquistado esse amor que tanto procura. Ela é muito sensível a qualquer observação procedente desse genitor e se sente rejeitada com facilidade. O sofrimento é tão intenso que, para lidar com ele, ela cultiva o rancor ou até o ódio. Lembre-se de que odiar exige muito amor. É um grande amor decepcionado que se transforma em ódio. A ferida da rejeição é tão profunda que o escapista é, entre os cinco caracteres, o mais inclinado ao ódio. Ele pode facilmente passar de uma fase de grande amor a outra de grande ódio. Isso indica seu intenso sofrimento interior.

O escapista tem medo de rejeitar o genitor do sexo oposto. Modera então suas ações ou palavras diante dele. Não é ele mesmo por causa de sua ferida. Esquiva-se para não rejeitá-lo porque não quer ser acusado de rejeitar alguém. No entanto, com o genitor do mesmo sexo, ele quer que seja este a se esquivar para evitar a rejeição. Recusa-se a ver, mais uma vez, que é sua ferida não curada que lhe causa esse sentimento, que não tem nada a ver com seu pai ou sua mãe. Se o escapista vive uma experiência de rejeição com o genitor ou com outra pessoa do sexo oposto ao seu, ele acusa a si mesmo por essa situação e se rejeita dizendo que é culpa sua se o outro o rejeitou.

Se você se vê com a ferida da rejeição, é muito importante aceitar que, mesmo que seu pai ou sua mãe o rejeite efetivamente, você atrai para si esse tipo de genitor e situação porque sua ferida não está curada. Se continuar a acreditar que tudo que lhe acontece é culpa dos outros, sua ferida não irá sarar. Em consequência de sua reação a seus pais, você se sente mais facilmente rejeitado pelas pessoas do mesmo sexo que você e tem medo de rejeitar as pessoas do sexo oposto. De tanto temer rejeitá-las, não fique surpreso se terminar fazendo exatamente isso. Chamo sua atenção para o fato de que quanto mais alimentamos um medo, mais depressa ele se concretiza.

Quanto mais grave é a ferida da rejeição numa pessoa, mais ela atrai para si circunstâncias para ser rejeitada ou rejeitar alguém.

Quanto mais o escapista rejeita a si próprio, mais medo ele tem de ser rejeitado. Ele se desvaloriza. Compara-se frequentemente aos que julga serem melhores do que ele, o que o leva a crer que é pior que os outros. Não vê que pode ser melhor do que muitas pessoas em determinados assuntos. Tem até dificuldade para acreditar que outro indivíduo possa escolhê-lo como amigo ou cônjuge ou que possa amá-lo de verdade. Uma mãe me confessou certa vez que, quando os filhos lhe diziam que a amavam, ela não compreendia por quê!

O escapista, portanto, vive na ambiguidade. Quando é escolhido para algo, não acredita e rejeita a si próprio, muitas vezes sabotando uma situação. Quando não é selecionado, sente-se rejeitado pelos outros. Conheci uma pessoa que cresceu numa família com várias crianças e contou que seu pai nunca a escolhia para nada. Isso a fez deduzir que os outros irmãos eram melhores do que ela. E achou que fazia sentido eles serem escolhidos antes dela. É um círculo vicioso.

Não é raro para um escapista dizer ou pensar que o que diz ou faz não tem valor. Quando recebe muita atenção, ele fica desconcertado, receando ocupar um espaço excessivo. Se ocupa muito espaço, julga incomodar. Ser importuno, para ele, significa que será rejeitado pelas pessoas a quem importuna ou julga importunar. Mesmo na barriga da mãe, o escapista não ocupa muito lugar. Ele continuará a ser uma pessoa apagada até curar sua ferida.

Quando ele fala e alguém o interrompe, sua primeira reação é pensar que ele não é importante e geralmente para de falar. Uma pessoa que não tem a ferida da rejeição tenderia a achar que é o que ela diz que não é importante, e não ela mesma. O escapista também tem dificuldade para emitir sua opinião quando lhe é solicitado, julgando que os outros se sentirão afrontados e o rejeitarão.

Se ele tiver um pedido a fazer a alguém que esteja ocupado, desistirá e não dirá nada. Ele sabe o que quer, mas não ousa pedir, julgando não ser suficientemente importante para importunar o outro.

Várias mulheres me revelaram que, a partir da adolescência, deixaram de ser francas com a mãe, com medo de não ser compreendidas. Na verdade, elas acreditam que ser compreendido é ser amado. Mas ser compreendido não tem nada a ver com ser amado. Amar é aceitar o outro mesmo não o compreendendo. E o que acontece é que, por causa dessa crença, elas se tornam pessoas evasivas, fugindo de muitos assuntos e temendo abordar determinados temas. (E não vamos esquecer que, no caso de um homem escapista, ele vive a mesma coisa com seu pai e os outros homens.)

Outra característica do escapista é procurar a perfeição em tudo que faz, pois ele pensa que, se cometer um erro, será julgado. Para ele, ser julgado equivale a ser rejeitado. Como não acredita na perfeição do seu ser, compensa isso tentando alcançar a perfeição no que faz. Lamentavelmente, confunde *ser* com *fazer*. Sua busca pela perfeição pode inclusive tornar-se obsessiva, levando-o a se ocupar de uma tarefa por mais tempo do que o necessário. E isso faz com que ele atraia para si novas situações de rejeição por parte dos outros.

O maior pesadelo do escapista é o pânico. Pressentindo que pode entrar em pânico em determinada situação, sua primeira reação é salvar a pele, esconder-se ou fugir. Ele acha que, fugindo, evitará uma desgraça. Está tão convencido de não poder administrá-lo que termina acreditando piamente numa possibilidade de pânico futuro, quando esse não é o caso. Querer desaparecer é tão inato no escapista que, por ocasião de regressões ao estado fetal, ouvi muitos dizerem que tentam inclusive se esconder no ventre de suas mães. Podemos ver que isso começa muito cedo.

O escapista entra em pânico e fica paralisado mais facilmente frente ao genitor ou a pessoas do mesmo sexo que ele. Com o genitor ou as pessoas do sexo oposto, ele não vive o mesmo medo.

Consegue enfrentá-los mais facilmente. Também observei que o escapista utiliza bastante a palavra pânico em seu vocabulário. Ele dirá, por exemplo: "Entro em pânico só de pensar em parar de fumar." Uma pessoa sem a ferida da rejeição dirá simplesmente que tem dificuldade para largar o cigarro.

Nosso ego faz tudo que pode para não enxergarmos nossas feridas. Por quê? Porque, inconscientemente, lhe permitimos fazê--lo. Temos tanto medo de reviver a dor associada a cada ferida que evitamos admitir que, se vivemos a rejeição, é porque rejeitamos a nós mesmos. Os que nos rejeitam estão em nossas vidas para nos mostrar o tanto que todos rejeitamos a nós mesmos.

O medo de entrar em pânico também faz com que o escapista "perca a memória" em diversas situações. Ele julga tratar-se de um problema de memória quando, na realidade, trata-se apenas de medo. Observo frequentemente durante meus workshops que, quando um participante de caráter escapista deve ir à frente do grupo para fazer uma exposição, mesmo estando bem preparado e inteirado do assunto, no último minuto seu medo se torna tão intenso que lhe dá um branco. Às vezes ele fica paralisado diante de todos. Felizmente esse problema vai se corrigindo por si só à medida que o escapista resolve sua ferida de rejeição.

Levando em conta o que afirmamos até aqui, é evidente que a ferida da rejeição afeta nossa maneira de nos comunicar. Os temores do escapista, que o impedem de se comunicar com clareza e realizar suas tarefas, têm a ver com os medos: de não ser interessante, de ser considerado sem valor, de ser incompreendido, de entrar em pânico, de que o outro o escute por obrigação ou polidez. Se você se vê com esses medos, eis um bom método para descobrir que você não está sendo você mesmo e que a ferida da rejeição se abriu.

É interessante observar que nossas feridas afetam igualmente nossos hábitos alimentares. O ser humano alimenta seu corpo

33

físico da mesma maneira que faz com seus corpos emocional e mental. No que se refere à alimentação, o escapista prefere pequenas porções e costuma perder o apetite quando está às voltas com medos ou emoções intensos. Entre os tipos apresentados no livro, o escapista é o mais predisposto a sofrer de anorexia. O anoréxico corta praticamente toda a comida por se julgar gordo demais, quando, na realidade, é magro. Utiliza esse método para tentar desaparecer. E, se começa a comer vorazmente, é porque está tentando escapar de alguma coisa. Entretanto, essa é uma opção de fuga rara no escapista. Em geral, ele prefere a bebida ou as drogas.

Mas ele também pode se voltar para os doces quando sente medo. Como esse sentimento costuma sugar a energia, é comum achar que, ingerindo açúcar, se terá mais energia. Infelizmente, essa dose de açúcar fornece apenas uma energia temporária, que deve ser reposta regularmente.

Nossas feridas impedem que sejamos nós mesmos. Isso cria um bloqueio que acaba nos causando doenças. Cada tipo atrai para si males específicos em função de suas atitudes interiores.

Eis algumas enfermidades e doenças que podem se manifestar no escapista:

- *diarreia*. Ele rejeita a comida antes que o corpo tenha tido tempo de assimilar corretamente os nutrientes, assim como rejeita a si próprio ou rejeita impensadamente uma situação que poderia trazer coisas boas para sua vida.
- *arritmia*. Uma irregularidade no ritmo cardíaco. Quando sente palpitações, ele tem a impressão de que o coração quer sair do peito, partir. É outra maneira de querer escapar de uma situação penosa.
- *câncer*. É uma doença que ele pode desenvolver. Mencionei acima que a ferida da rejeição causa tanto mal que é completamente normal para um escapista odiar seu genitor do

mesmo sexo, aquele que ele acusou de tê-lo feito sofrer em sua infância. Por outro lado, ele sente muita dificuldade em perdoar-se por ter detestado seu pai ou sua mãe, preferindo não ver ou não saber que o detestou ou que ainda o detesta. Se o escapista não conquistar o direito de odiar seu genitor do mesmo sexo, pode desenvolver essa doença, que está associada ao rancor ou ao ódio em decorrência de uma dor vivida no isolamento.

Uma pessoa que consegue admitir para si mesma que detestava um dos pais não desenvolve câncer. Ela pode criar para si outra doença grave se cultivar ideias de violência com relação aos pais, mas não será câncer. Este se manifesta, sobretudo, na pessoa que sofreu muito e que acusa a si mesma. Ela não quer enxergar que detestou o pai ou a mãe porque admitir seu rancor seria admitir que ela é alguém ruim e sem coração. Seria também aceitar que rejeita esse pai, embora o acuse de rejeitá-la.

O escapista não se deu o direito de ser criança. Fez de tudo para amadurecer rápido porque julga que será menos rejeitado assim. É por essa razão que o seu corpo ou parte do seu corpo se assemelha ao de uma criança. O câncer indica que ele não dá à criança dentro dele o direito de ter sofrido. Nada mais humano do que detestar o pai que julgamos responsável pelo nosso sofrimento, e isso o escapista não aceita.

- *problemas respiratórios*. Podem afetar o escapista principalmente quando ele entra em pânico.
- *alergias*. Também podem afetá-lo, pois refletem a rejeição que ele sente.
- *vômito*. É algo que ele pode fazer para expulsar o alimento que acaba de ingerir, indicando sua rejeição a uma pessoa ou situação. Já ouvi alguns jovens dizerem: "Eu queria vomitar minha mãe (ou meu pai)." O escapista pode exprimir sua

vontade de "vomitar" uma pessoa dizendo "Você me dá nojo" ou "Isso me dá nojo". É sua maneira de exprimir sua vontade de rejeitar alguém ou alguma coisa.
- *ausências*. Sofrer ausências ou desmaiar são outros meios de escapar de uma situação ou pessoa.
- *coma*. Em casos mais sérios, o coma pode ser usado pelo escapista como fuga.
- *agorafobia*. Ver a definição desse distúrbio comportamental nas páginas 53 e 54.
- *hipoglicemia* ou *diabetes*. Quando o escapista abusa do açúcar, pode cultivar essas doenças do pâncreas.
- *depressão*. Quando desenvolve um ódio muito forte pelo pai ou pela mãe em consequência da dor causada pela rejeição que ele viveu ou ainda vive, e se julga em seu limite emocional e mental, ele pode se tornar deprimido ou maníaco-depressivo. Se pensa em suicídio, não fala sobre isso e, se decidir concretizá-lo, fará de tudo para não falhar. Os que falam muito em suicídio e falham ao tentá-lo costumam trazer a ferida do abandono. É o tema do próximo capítulo.
- *psicose*. O escapista que ainda jovem tem dificuldade de reconhecer seu valor é levado a tentar ser igual a outra pessoa: ele se dilui na personalidade de alguém a quem admira. Por exemplo, uma adolescente que quer ser Marilyn Monroe poderá passar a vida tentando ser igual a ela. O perigo desse comportamento exagerado é que mais tarde ele pode se transformar em psicose.

As enfermidades ou doenças aqui mencionadas também podem se manifestar em pessoas às voltas com os outros tipos de feridas, mas parecem mais frequentes naquelas que sofrem de rejeição.

Se você reconheceu a ferida da rejeição em si próprio, é mais do que provável que seu genitor do mesmo sexo também tenha se sentido rejeitado pelo respectivo genitor do mesmo sexo. Além do mais, há grandes chances de ele se sentir rejeitado por você. Ainda que tudo se dê de forma inconsciente de ambos os lados, isso se mostrou verdadeiro após estudos feitos com milhares de pessoas do tipo escapista. Lembre-se de que a razão principal da presença de qualquer ferida é a incapacidade que temos de nos perdoar pelo sofrimento que causamos a nós mesmos ou aos outros. É difícil nos perdoarmos porque, em geral, nem percebemos que nos machucamos tanto. Quanto mais intensa a ferida da rejeição, mais evidente fica sua tendência a rejeitar a si mesmo ou a outras pessoas, situações ou projetos.

>Criticamos nos outros tudo que nós mesmos fazemos e não queremos enxergar.

Essa é a razão pela qual atraímos para o nosso círculo pessoas que refletem o que fazemos aos outros ou a nós mesmos.

Outro meio de nos tornarmos conscientes de que nos rejeitamos ou rejeitamos outra pessoa é a vergonha que sentimos quando queremos nos esconder ou dissimular um comportamento. É normal achar constrangedor ter as mesmas atitudes que criticamos nos outros. Não queremos, principalmente, que eles descubram que agimos como eles.

>Não se esqueça de que tudo o que mencionei só é vivenciado quando aquele que sofre de rejeição decide vestir sua máscara de escapista, julgando assim evitar sofrer segundo a gravidade da ferida.

Os comportamentos característicos do escapista são ditados pelo medo de reviver a ferida da rejeição. No entanto, é provável que você se identifique apenas em certos comportamentos, e não em tudo que escrevi. É quase impossível uma pessoa se reconhecer em todos os comportamentos mencionados. Cada ferida tem suas próprias características. Essas maneiras de pensar, sentir, falar e agir ligadas a cada ferida indicam, portanto, uma reação ao que se passa na vida. Uma pessoa que está agindo com base nessa reação não vive com o coração em paz e não pode se sentir bem ou feliz. Por isso é tão útil identificar os momentos em que você está sendo você mesmo ou está reagindo às suas feridas. Assim, conseguirá se tornar dono da sua vida em vez de se deixar guiar pelos seus medos.

Este capítulo tem por objetivo ajudá-lo a tomar consciência da ferida da rejeição. Se você se reconhece na descrição da máscara do escapista, o último capítulo contém todas as informações de que irá precisar para curar essa ferida e voltar a ser você mesmo, deixando de acreditar que a vida se resume à rejeição. Se não se reconhece nessa ferida, sugiro que pergunte àqueles que o conhecem bem se eles concordam com você. Já mencionei que é possível ter somente feridas leves. Nesse caso, você só possuiria determinadas características. Ressalto a importância de confiar na descrição física, pois o corpo nunca mente.

Se você reconhece essa ferida em algumas pessoas do seu convívio, não tente mudá-las. Em vez disso, use o que está aprendendo neste livro para desenvolver mais compaixão por elas, para compreender melhor seus comportamentos reativos. Se elas demonstrarem algum interesse nesse assunto, talvez seja bom que leiam o livro.

CARACTERÍSTICAS DA FERIDA DA
REJEIÇÃO

DESPERTAR DA FERIDA: Da concepção até 1 ano de vida. Não sente o direito de existir. **Manifesta-se com a figura parental do mesmo sexo.**

MÁSCARA: Escapista.

CORPO: Contraído, estreito, esguio ou fragmentado.

OLHOS: Pequenos, com medo, por vezes com olheiras.

VOCABULÁRIO: "Nulidade", "nada", "inexistente", "sumir".

CARÁTER: Desprendimento com relação ao material. Perfeccionista. Intelectual. Passa de fases de grande amor a fases de ódio profundo. Não acredita em seu direito de existir. Dificuldades sexuais. Julga-se sem valor. Procura a solidão. Apagado. Capacidade de se tornar invisível. Descobre diferentes meios de fuga. Devaneia com facilidade. Julga-se incompreendido. Dificuldade de deixar viver sua criança interior.

MAIOR MEDO: Pânico.

ALIMENTAÇÃO: Perda de apetite em virtude das emoções ou do medo. Come em pequenas porções. Para fuga: açúcar, álcool ou drogas. Predisposição à anorexia.

DOENÇAS POSSÍVEIS: Diarreia • arritmia • câncer • problemas respiratórios • alergias • vômitos • desmaios • coma • hipoglicemia • diabetes • depressão • tendência ao suicídio • psicose.

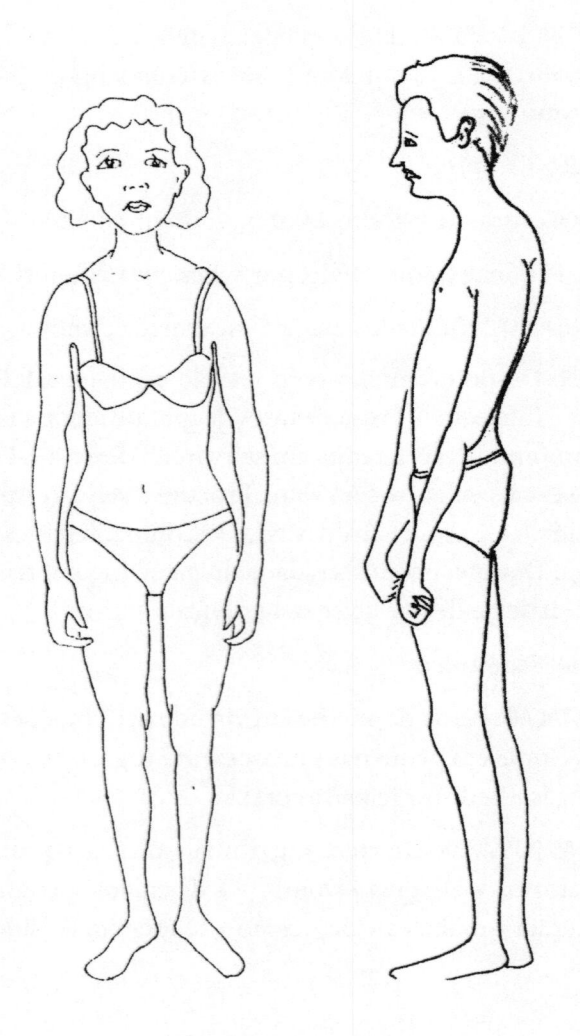

ASPECTO FÍSICO DO DEPENDENTE
(FERIDA DO ABANDONO)

CAPÍTULO 3

O ABANDONO

Abandonar alguém é deixá-lo, largá-lo, não querer mais se preocupar com ele. Muitas pessoas confundem rejeição com abandono. Às vezes nos julgamos rejeitados, pois o outro nos repele, não nos quer mais ao seu lado. Não devemos nos prender à situação vivida, mas sim à dor vivida. Para saber qual ferida foi ativada, devemos estar atentos à nossa reação e à pessoa com quem vivemos o problema. Se é alguém do mesmo sexo que nós, a ferida ativada é sempre a da rejeição; se a pessoa é do sexo oposto, é a ferida do abandono.

A ferida vivida no caso de um abandono, assim como as três próximas feridas que analisaremos, trata do ter e do fazer (somente a ferida da rejeição toca diretamente o ser).

Veremos, aqui, alguns exemplos de situações capazes de despertar a ferida do abandono numa criança. Ela pode se sentir abandonada:

- se sua mãe passar de repente a se ocupar com um novo bebê. O sentimento de abandono será ainda mais forte se o bebê necessitar de cuidados especiais por ser doente ou problemático. A criança terá a impressão de que a mãe a abandona

continuamente para cuidar do outro. Começará a achar que será assim para sempre, que nunca mais terá de volta a mãe de antes.
- se seus pais saem para trabalhar diariamente e dedicam pouco tempo a ela.
- quando é levada para o hospital e seus pais têm que deixá-la lá. Ela não compreende o que acontece. Se tem consciência de que foi um pouquinho malcriada nas semanas anteriores e que os pais se aborreceram com seu comportamento na ocasião, o sentimento de abandono pode ser ainda mais pronunciado. No hospital, ela pode resolver acreditar que os pais a abandonaram para sempre. Mesmo recebendo a visita diária dos dois, a dor gravada no momento em que ela se sentiu abandonada prevalece. Esse sofrimento a incita a criar uma máscara para si, julgando que esta a ajudará a não reviver mais a dor.
- quando os pais a deixam com alguém durante as férias, mesmo que seja com a avó.
- se sua mãe está sempre doente e seu pai vive muito ocupado ou ausente e ela é obrigada a se virar sozinha.

Conheci uma senhora que viveu um medo terrível quando seu pai faleceu. Sua morte, que ela encarou como um abandono, foi muito marcante, pois na época sua mãe não cansava de lhe dizer que a expulsaria de casa assim que ela fizesse 21 anos. Essa senhora, que se sentia rejeitada pela mãe, teve medo porque pensava o tempo todo: *"O que vai acontecer comigo sem papai para cuidar de mim quando eu tiver que ir embora?"*

Várias pessoas que sofrem da ferida do abandono relataram falta de comunicação com o genitor do sexo oposto quando eram jovens. Julgavam esse pai (ou mãe) fechado demais e o recriminavam por deixar o outro genitor ocupar todo o espaço. E estavam convencidas de que a figura parental do sexo oposto não se interessava por elas.

De acordo com minhas observações, **a ferida do abandono é vivida com o genitor do sexo oposto**. Em contrapartida, observei que muitas vezes uma pessoa que sofre de abandono também vivencia a rejeição. Quando jovem, por exemplo, a menina se sente rejeitada pela mãe e abandonada pelo pai, que, a seu ver, deveria ter lhe dado mais atenção e cuidado para que ela fosse aceita pela mãe. Uma criança pode se sentir abandonada pelo genitor do mesmo sexo, mas, na realidade, é a ferida da rejeição que ela vivencia. Por quê? Porque o genitor do mesmo sexo que não liga para ela age assim por rejeitar a si mesmo e, no fundo, a criança percebe isso. Quando um pai rejeita a si próprio e tem um filho homem, é normal e humano que ele rejeite o garoto, até inconscientemente, pois este lhe evoca sua própria pessoa. O exemplo da senhora que perdeu o pai aos 18 anos ilustra bem essa dupla ferida de rejeição e abandono.

Aprofundando um pouco mais esse estudo de caráter, você perceberá que a maioria das pessoas tem mais de uma ferida. Mas nem todas elas sentem o mesmo grau de dor.

Os que sofrem de abandono não se sentem alimentados afetivamente. A falta de alimento físico também pode despertar a ferida do abandono, que se manifesta normalmente antes dos 2 anos de idade. A máscara que o indivíduo cria para si a fim de tentar esconder de si próprio sua ferida é a do *dependente*. Utilizarei então essa palavra para descrever a pessoa que sofre de abandono. Irei designá-la ao longo de todo o livro como dependente.

Quem utiliza essa máscara exibe um corpo carente de tônus. Um corpo esguio, magro e apático indica uma ferida do abandono mais profunda. O sistema muscular é pouco desenvolvido e parece não ser capaz de manter o corpo ereto. Este exprime exatamente o que se passa no interior da pessoa. O dependente acredita que não pode conquistar nada sozinho e que precisa de outra pessoa para auxiliá-lo. Seu corpo reflete essa necessidade de apoio. Não é difícil ver em sua figura a criancinha que precisa de ajuda.

Grandes olhos tristes também indicam a ferida do abandono. As pernas são fracas. Os braços são compridos demais, pendendo ao longo do corpo. É o tipo de indivíduo que parece não saber o que fazer com os braços, principalmente quando há outras pessoas olhando. Ele também pode ter uma aparência curvada, como se a coluna não fosse capaz de suportar completamente seu peso. E algumas partes do corpo – como ombros, seios, nádegas, bochechas, barriga, saco escrotal – podem ser caídas ou flácidas.

Como se pode ver, a característica mais marcante no dependente é a falta de tônus muscular. Se você perceber isso em alguém, provavelmente essa pessoa adota a máscara de dependente para esconder a ferida do abandono.

Não se esqueça de que é a intensidade da ferida que determina a espessura da máscara. Uma pessoa muito dependente terá sempre as características mencionadas acima. Se um indivíduo tem apenas algumas delas, é porque sua ferida é mais leve. É importante observar que, no caso de uma pessoa gorda que carece de tônus em determinadas partes do corpo, seu excesso de peso pode indicar outra ferida (que nós analisaremos mais adiante).

Você deve aprender a diferenciar a máscara do escapista da do dependente. Pode haver duas pessoas muito magras ao seu lado e uma ser escapista e a outra, dependente. Ambas podem ter tornozelos pequenos e punhos finos. A diferença é perceptível sobretudo no tônus. O escapista, apesar de sua magreza ou baixa estatura, mantém-se aprumado, ao passo que o dependente adota uma postura apática. O escapista parece ter a pele mais colada nos ossos, porém com um sistema muscular sólido, enquanto o dependente é mais adiposo, embora careça de tônus.

Quando uma pessoa sofre das duas feridas, da rejeição e do abandono, é possível detectar em seu corpo determinadas características do escapista e do dependente. A ferida que salta mais aos olhos indica aquela de que a pessoa sofre com mais regularidade.

Olhar as pessoas à sua volta para descobrir suas feridas é um excelente exercício de intuição. Como o corpo diz tudo sobre a pessoa, há cada vez mais gente tentando modificar sua aparência física, geralmente por meio da cirurgia plástica ou da malhação. Quando tentamos esconder nosso corpo, buscamos dissimular as feridas que ele representa.

Na verdade, é com nossa intuição que podemos descobrir as partes que as pessoas tentam transformar em si mesmas. Por exemplo, observando uma cliente durante uma consulta, notei que ela tinha seios firmes e bonitos, quando, na realidade, a minha primeiríssima impressão era a de que ela tinha os seios caídos. Foi um "flash" de poucos segundos. Mas, como aprendi a confiar em minha intuição, falei com ela sobre a reação que tive e perguntei-lhe se havia feito uma cirurgia plástica. Ela confirmou, dizendo que recorreu à cirurgia porque não gostava de seus seios caídos.

Às vezes é um pouco mais difícil enxergar com clareza certos detalhes físicos, principalmente do corpo feminino, por causa dos vários acessórios usados pela mulher – sutiãs, ombreiras, enchimentos para as nádegas – que confundem o olhar. De toda forma, a pessoa que se olha no espelho não pode mentir para si mesma. Recomendo, portanto, que siga sua intuição e sua primeira impressão ao examinar outra pessoa.

Conheço homens que fazem musculação desde adolescentes, mas que, apesar do tórax e dos braços bem definidos, apresentam certa falta de tônus. Quando interrompem os exercícios físicos, seu corpo volta a dar mostras de flacidez. Isso acontece apenas nos homens dependentes. Não é porque escondemos fisicamente uma ferida que ela é sanada. Volto ao meu exemplo do ferimento na mão, citado no primeiro capítulo. Esconder a mão numa luva ou atrás das costas não faz a ferida se curar.

Dos cinco tipos, o dependente é o mais apto a se tornar vítima. Há fortes probabilidades de que um de seus pais ou mesmo ambos sejam igualmente vítimas. A vítima é uma pessoa que engendra dificuldades de todo tipo ao longo da vida, em especial problemas de saúde, para chamar a atenção para si. Isso provê as necessidades do dependente, que julga nunca ter o suficiente. Ele acha que, se não conseguir atrair a atenção do outro, não poderá contar com seu apoio. Podemos notar esse fenômeno nos dependentes quando eles ainda são muito jovens. A criança dependente precisa sentir que, se der um passo em falso, contará com alguém para ajudá-la a se recuperar.

É uma pessoa que dramatiza muito: o mais ínfimo incidente ganha proporções gigantescas. Se, por exemplo, seu cônjuge não liga para avisar que chegará atrasado, ela pensa no pior e não compreende por que ele a deixa sem notícias, fazendo-a sofrer tanto. Ao depararmos com uma pessoa que se comporta como vítima, costumamos nos perguntar como ela consegue arranjar tantos problemas. O dependente, por sua vez, não vive esses incidentes como obstáculos. Ao contrário, encara seus problemas como dádivas, pois chamam a atenção dos outros para si. Isso impede que se sinta abandonado. Ser abandonado é mais doloroso do que encarar os múltiplos problemas que ele cria. Só um outro dependente pode realmente compreender isso. Quanto mais uma pessoa age como vítima, mais se agrava sua ferida do abandono.

Pude constatar, entre outras coisas, que uma vítima costuma gostar de fazer o papel de salvador – como, por exemplo, quando o dependente desempenha o papel de pai com relação a seus irmãos ou tenta tirar alguém que ele ama de uma dificuldade qualquer. São meios sutis de receber atenção. Na realidade, quando o dependente faz muito por outra pessoa, ele deseja sobretudo ser elogiado, sentir-se importante. No entanto, essa atitude acarreta dores nas costas, pois ele coloca sobre si responsabilidades que não são suas.

Ele costuma ter altos e baixos. Durante certo tempo, está feliz e tudo corre bem; de repente sente-se infeliz e triste. Pergunta-se inclusive o porquê disso, já que essa situação é frequente e acontece sem motivo aparente. Mas, se ele procurar bem, descobrirá seu medo da solidão.

A forma de ajuda de que o dependente mais carece é o apoio dos outros. Tenha ou não dificuldade para tomar decisões por si próprio, o dependente costuma pedir a opinião ou a aprovação dos outros antes de decidir qualquer coisa. Ele precisa se sentir amparado em suas decisões. Suas expectativas em relação aos outros estão ligadas ao que eles podem fazer para ajudá-lo. Mas não é uma ajuda física que ele procura, e sim o apoio de alguém no que ele faz ou quer fazer. Quando é apoiado, sente-se amado.

O dependente pode parecer preguiçoso, pois não gosta de praticar esportes ou executar tarefas manuais sozinho; ele precisa da presença de alguém a seu lado. Quando faz alguma coisa para o outro, é na expectativa de um retorno de afeição. Quando recebe a afeição almejada, compartilhando uma atividade agradável com outra pessoa, ele deseja que aquilo dure. E o fim de um prazer é vivido como um abandono.

A pessoa dependente, inclinada para seu lado vítima, tende a ter uma voz de criança e a fazer muitas perguntas, em especial se for uma mulher. Isso pode ser constatado quando ela pede ajuda: tem grande dificuldade de aceitar uma recusa e sua tendência é insistir. Quanto mais sofre ao receber um "não" como resposta, mais propensa ela fica a utilizar todos os meios para obter o que quer, ou seja, usando manipulação, manha, chantagem emocional, etc.

O dependente pede conselhos com frequência, pois não se julga capaz de chegar lá sozinho, mas isso não significa que escute as sugestões recebidas. Ele fará o que lhe der na veneta, uma vez que o que procurava não era necessariamente ajuda, mas sim apoio. Quando está com outras pessoas, deixa que andem à sua frente, pois prefere que elas o guiem. Acredita que, se se sair bem sozinho, ninguém cuidará dele no futuro, e o isolamento, de que ele quer fugir a todo custo, virá.

De fato, a solidão é o maior medo do dependente. Ele está convencido de que é incapaz de administrá-la. Por isso se agarra aos outros e faz de tudo para chamar a atenção. Está disposto a qualquer coisa, até mesmo a encarar situações penosas, para ser amado. Seu medo é: "O que farei sozinho, o que será de mim?" Está em constante conflito com ele próprio: se por um lado quer muita atenção, por outro teme, ao demandar demais, que isso termine importunando o outro e este decida abandoná-lo. O dependente usa o sofrimento para tolerar determinadas situações, embora não admita isso. Tomemos o exemplo de uma mulher que vive com um homem que a espanca. Deixá-lo talvez signifique para ela mais sofrimento do que suportá-lo. Na realidade, sua existência repousa na esperança, numa esperança emotiva. Ela não pode admitir sua ferida, pois, se fizer isso, correrá o risco de reviver o sofrimento que essa ferida representa.

A pessoa dependente é aquela com maior capacidade de não enxergar problemas no seu casamento. Temendo ser abandonada, prefere acreditar que tudo vai bem. Se o outro lhe comunica que deseja partir, ela sofre horrores porque, cega para os problemas, não espera por eles. Se esse for o seu caso e você se vê preso, esquivando-se com medo de ser abandonado, procure apoio. Construa uma imagem mental, imagine alguma coisa que o reconforte. Não "desista"; principalmente se você está vivendo momentos de desespero e acha que não pode mais receber ajuda externa. Talvez você pense que não pode se safar sozinho, mas esteja certo de que para todo problema há uma solução. Apoiando a si mesmo, a luz se fará e você encontrará a solução.

O dependente mostra grande dificuldade com a palavra "deixar", que, para ele, é sinônimo de "abandono". Se, por exemplo, o dependente fala com uma pessoa que lhe diz "Tenho que deixar você agora, preciso ir", seu coração se ressente. O simples fato de ouvir a palavra "deixar" lhe desperta emoções. Para não se sentir abandonado, é preciso que o outro lhe explique a razão de sua partida, de preferência sem usar essa palavra.

Quando o dependente se sente abandonado, ele acha que não é suficientemente importante para merecer a atenção do outro. Observei muitas vezes que, se ouso consultar meu relógio para ver a hora (o que faço muito por causa da minha agenda cheia) quando estou na companhia de uma pessoa dependente, sua fisionomia muda. Sinto quanto aquele gesto a transtorna. Ela julga imediatamente que o meu compromisso é mais importante do que ela.

Esse tipo de pessoa também tem dificuldade em deixar um lugar ou abandonar uma situação. Mesmo que o lugar para onde se dirige pareça agradável, ela fica triste ao pensar na partida. Tomemos o exemplo de alguém que parte para uma viagem de algumas semanas. Ele terá dificuldade em se despedir dos colegas, do trabalho ou do lar. E, quando chegar o momento de voltar para casa, ele viverá novamente uma resistência a deixar esse lugar, bem como as pessoas que lá se encontram.

A emoção mais intensa vivida pelo dependente é a tristeza. Ele a sente no fundo de si, sem compreender nem poder explicar de onde ela vem. Para não senti-la, procura a presença dos outros. Pode, no entanto, tomar uma decisão drástica, ou seja, retirar-se, largar a pessoa ou situação que lhe causa essa tristeza ou esse sentimento de solidão. Ele não percebe que, todas as vezes que desiste de alguém ou de algo, também está cometendo um ato de abandono. Nesse momento de crise, ele pode inclusive pensar em suicídio. Em geral, é somente uma simples ameaça, pois tudo o que ele procura, na verdade, é apoio. Se ele tentar o suicídio, falhará. Se, depois de várias tentativas, ninguém resolver lhe dar apoio, é possível que termine conseguindo suicidar-se.

O dependente costuma temer toda forma de autoridade. Ele imagina que alguém que exibe uma voz ou um ar autoritário não vai querer perder tempo com ele. Julga-o indiferente e frio. É por essa razão que é tão caloroso com os outros. Acha que, sendo assim, os outros também serão calorosos e atenciosos em vez de frios ou autoritários.

O dependente costuma empregar bastante as palavras "ausente" e "sozinho". Ao falar de sua infância, por exemplo, dirá que o deixavam frequentemente sozinho, que sua mãe e seu pai estavam ausentes. Pode reconhecer que sofre de isolamento quando vive uma grande ansiedade ao se imaginar na solidão. Acha que tudo seria muito melhor se tivesse alguém a seu lado. Qualquer ser humano pode se sentir sozinho, mas sem sofrer em demasia com isso. O grau de ansiedade determina o grau do sofrimento. Sentir-se isolado também gera um sentimento de urgência nesse tipo de pessoa, pois ela tem medo de que o que lhe falta lhe seja recusado ou se torne inacessível no momento em que ela o desejar. O que se esconde por trás da sensação de isolamento é: o indivíduo dependente se fecha inconscientemente para a coisa ou pessoa que tanto deseja junto a si. Ele não se abre para receber ou aceitar aquilo ou aquele que deseja por medo de não merecê-lo. Até porque ele tem medo das emoções que toda essa atenção poderia fazê-lo viver. É comum observarmos esse comportamento entre os inúmeros indivíduos que sabotam a própria felicidade. Assim que uma relação se torna mais intensa, eles dão um jeito de acabar com ela.

A pessoa dependente chora com facilidade, sobretudo quando fala de seus problemas ou aflições. Em seu pranto, podemos sentir que ela acusa os outros de se esquivarem quando ela tem problemas ou adoece. Acusa até Deus de abandoná-la. Pensa que tem razão. Não percebe que é ela própria quem abre mão dos outros. Tampouco se dá conta da quantidade de projetos em curso que ela abandona. Seu ego lhe prega peças; como, aliás, faz a todos nós.

O dependente precisa da atenção e da presença dos outros, mas não percebe a quantidade de vezes que não age com os outros como gostaria que agissem com ele. Por exemplo, ele gosta de sentar-se sozinho para ler um livro, mas não suporta que seu cônjuge faça o mesmo. Adora ir sozinho a certos lugares, mas se sentirá abandonado e desdenhado se o parceiro agir da mesma forma. Ele pensa: "Na verdade, não sou suficientemente importante para que ele me convide." Se não for chamado para uma reunião ou para um encontro ao qual acredita que deveria comparecer, se sentirá muito mal. E mergulhará numa grande tristeza, num sentimento de abandono e de autodesprezo.

O dependente tem o hábito de tocar na pessoa amada. Em criança, a menina se liga fisicamente ao pai e o menino, à mãe. Num casal, é comum o dependente se apoiar no outro ou lhe dar a mão ou tocá-lo. Quando está de pé, ele procura se recostar numa parede ou numa porta. E, mesmo sentado, tem dificuldade de se manter aprumado; apoia seu braço no encosto ou afunda na cadeira. De todo modo, tem dificuldade de se manter ereto, tende a se inclinar para a frente.

Quando você vir alguém procurando muita atenção numa reunião, observe seu corpo e verá o dependente que mora nele. Em minhas oficinas noto que há sempre pessoas aproveitando os intervalos para me fazer perguntas em particular. Constato invariavelmente que elas portam a máscara de dependente. Em geral, peço-lhes que me façam as mesmas perguntas durante a oficina, pois são boas questões e as respostas podem interessar aos outros participantes. Quando a aula recomeça, elas quase sempre se negam a perguntar qualquer coisa. O que lhes interessava era que eu lhes respondesse em particular. Às vezes, aconselho a essas pessoas que procurem uma terapia para obterem assim toda a atenção que desejam. Entretanto, essa solução tem seus limites, uma vez que pode alimentar a ferida em vez de curá-la.

Outra maneira de chamar a atenção é ocupar uma função que implique acesso a um grande público. Muitos cantores, atores e artistas são dependentes. Eles se sentem bem no papel de vedete, de destaque.

Numa consulta particular, o dependente é o tipo que mais costuma estabelecer uma transferência com seu terapeuta. Ele procura no profissional o apoio não recebido dos pais ou do cônjuge. Uma amiga psicóloga me contou que certo dia um cliente teve uma crise de ciúmes quando ela lhe comunicou que seria substituída por um colega durante suas duas semanas de férias com o marido. Percebendo que o cliente fizera uma transferência, logo viu que se tratava de um perfil dependente. Sempre recomendo aos meus amigos psicólogos e terapeutas que sejam bem vigilantes, pois há grande risco de transferência quando seu cliente sofre de abandono.

O dependente é uma pessoa que se entrosa facilmente com os outros, o que o leva a sentir-se responsável pela tristeza e felicidade alheias, da mesma forma que ele julga que os outros são responsáveis pela felicidade ou infelicidade que sente. Uma pessoa exclusivista – também denominada *pessoa psíquica* – sente as emoções dos outros e se deixa influenciar por elas com facilidade.

Paradoxalmente, esse desejo de fusão engendra muitos medos, podendo inclusive chegar à agorafobia.

Essa fobia consiste num medo doentio de espaços abertos e locais públicos. É a fobia mais comum. As mulheres são duas vezes mais propensas a ela do que os homens. Muitos homens escondem sua agorafobia no alcoolismo. Preferem tornar-se alcoólatras a confessar seu grande e incontrolável medo. O agorafóbico queixa-se frequentemente de viver ansioso e angustiado, a ponto de entrar em pânico. Uma situação angustiante acarreta no agorafóbico reações fisiológicas (palpitação cardíaca, ausências, tensões ou fraquezas musculares, transpiração, dificuldades respiratórias, náuseas, incontinência urinária, etc.) que podem levar ao pânico, reações cognitivas (sentimentos de estranheza, medo de perder o controle, de enlouquecer, de ser humilhado publicamente, de desmaiar, de morrer, etc.) e reações comportamentais (fuga das situações de ansiedade e, naturalmente, de todo lugar que lhe pareça distante do local ou da pessoa reconfortante de que ele precisa). A maioria dos agorafóbicos sofre de hipoglicemia.

O medo e as sensações que o agorafóbico experimenta são tão fortes que o levam inclusive a evitar as situações que não pode evitar. É por essa razão que ele precisa encontrar alguém próximo e acolhedor com quem sair e um lugar reconfortante onde se refugiar. Há inclusive pessoas que simplesmente não conseguem sair mais. Encontram sempre uma boa razão para isso, antecipando tragédias que nunca se concretizam.

A maioria dos agorafóbicos foi muito dependente de suas mães quando jovens e se sentiram responsáveis por sua felicidade e por ajudá-las em seu papel de mãe. O agorafóbico pode se ajudar emocionalmente resolvendo sua relação com a mãe.

Os dois grandes temores do agorafóbico são o medo de morrer e o medo da loucura. Após encontrar agorafóbicos em quase todas as oficinas que ministrei, pude fazer uma síntese interessante a respeito desse transtorno, o que ajudou centenas de indivíduos. Esses medos vêm da infância e foram vividos no isolamento. Um foco propício à eclosão desse mal é a morte ou a loucura de alguém no círculo familiar.

Esse medo de morrer no agorafóbico é vivido em todos os níveis, embora ele nem se dê conta disso. Ele não se julga capaz de enfrentar uma mudança em qualquer domínio que seja, pois isso representaria uma morte simbólica. Eis por que toda mudança lhe gera angústia e acentua seu grau de agorafobia. Isso pode acontecer em momentos de transição, como a passagem da infância à adolescência, da adolescência à idade adulta, de solteiro a casado, uma transferência de cargo, uma mudança de domicílio, um novo trabalho, uma gravidez, um acidente, uma separação, a morte ou o nascimento de alguém, etc.

Durante vários anos, esses medos e angústias podem ser inconscientes e represados. E então, um dia, quando atinge seu limite mental e emocional, o agorafóbico não consegue mais se conter e seus medos se tornam conscientes e visíveis.

O agorafóbico costuma ter uma imaginação fértil e descontrolada. Ele se vê em situações muito além da realidade e se julga incapaz de fazer frente a essas mudanças. Sua grande atividade mental o faz temer a loucura. Ele não ousa falar sobre suas questões com os outros, pois receia que o considerem louco. É preciso compreender que isso não é loucura, mas uma sensibilidade forte e mal administrada.

Se você se encaixa nos critérios acima, saiba que o que está vivendo não é loucura e não mata. Você simplesmente se abriu demais, quando jovem, para as emoções dos outros, julgando ser responsável pela felicidade ou infelicidade deles. Por conseguinte, tornou-se demasiado psíquico para poder estar à espreita e prevenir os infortúnios. Eis por que você absorve todas as emoções e medos alheios quando se vê num local público. O mais importante é aprender a verdadeira noção de responsabilidade, pois aquela em que você acreditou até agora não é boa para você.

Constatei o caráter do dependente na maioria dos agorafóbicos que encontrei até agora. Na definição da agorafobia, consta o medo da morte e da loucura. No âmago do dependente, quando um ente querido falece, ele vive um sentimento de abandono. Sente cada vez mais dificuldade para aceitar a morte de quem quer que seja, pois cada morte reabre sua ferida do abandono, contribuindo para acentuar seu grau de agorafobia. Pude observar que a pessoa cuja ferida do abandono predomina tem mais medo da morte, enquanto aquela cuja ferida predominante é a traição tem mais medo da loucura. Discorro sobre a ferida da traição no Capítulo 5.

A mãe dependente, exclusivista, depende muito do amor do filho e faz de tudo para que ele perceba isso. O amor dos outros, principalmente dos mais próximos, ampara os dependentes. Ajuda-os a se manterem de pé. Ouvi pessoas dependentes dizerem: "Não posso suportar uma circunstância em que alguém não me ama; farei de tudo para dar um jeito nessa situação." Quando alguém dependente afirma "É importante você me ligar para me dar notícias", na realidade quer dizer "Quando você me liga, eu me sinto importante". Ele precisa a todo custo que os outros o façam sentir-se importante, pois não consegue isso por si mesmo.

Quando em contato com os problemas causados pela sua dependência, o indivíduo anseia ser independente. Julgar-se independente torna-se, então, uma reação muito comum nessas pessoas, que adoram dizer aos outros a que ponto se consideram independentes. Entretanto, isso só faz acentuar e esconder a ferida do abandono, uma vez que ela não é tratada.

Por exemplo, uma pessoa dependente diz que não quer ter filhos e usa como justificativa o desejo de conservar a própria independência. Na verdade, no homem dependente, isso costuma esconder o medo de não receber mais toda a atenção de sua parceira se houver uma criança em casa. No caso da mulher dependente, por sua vez, o medo maior é o de se sentir sufocada por todas as obrigações que um filho acarreta. Em contrapartida, se ela quiser ter filhos, se sentirá mais confortável enquanto eles ainda forem crianças, pois serão mais dependentes dela. Isso a faz se sentir mais importante. O dependente tem mais interesse em alcançar a autonomia do que a independência. Explico como conseguir isso no último capítulo.

Em sua vida sexual, o comportamento do dependente também é assim. Ele usa o sexo para prender o outro. Isso é mais perceptível na mulher. Quando a pessoa dependente se sente desejada por outra, ela se julga mais importante. Entre os cinco tipos, eu diria que a pessoa que receia ser abandonada é a que mais ama o sexo, tendo impulso sexual mais intenso que o seu cônjuge. Não é raro observar que os indivíduos que se queixam de falta de sexo em geral sofrem da ferida do abandono e usam a máscara de dependente.

Quando a mulher dependente não deseja fazer sexo, ela não diz isso a seu parceiro. Prefere fingir desfrutar, pois não quer perder uma oportunidade de se sentir desejada. Conheci inclusive algumas mulheres que aceitaram manter seu relacionamento mesmo sabendo que o marido tinha outra. O homem dependente, por sua vez, prefere fingir não saber que a mulher tem um amante. Essas pessoas preferem suportar esse tipo de situação a serem abandonadas. Não é o seu ideal, mas elas estão dispostas a tudo para não perder o parceiro.

Depois de tudo que foi dito neste capítulo, fica evidente que a ferida do abandono afeta nossa comunicação. Os medos que impedem o dependente de se comunicar com clareza e expor suas demandas são: de chorar, de que o outro vá embora, de que o outro não concorde e ignore o que é dito ou pedido, de receber um não, de ser rechaçado, de não ser apoiado como espera, de não corresponder às expectativas dos outros. Se você se vê nesses medos, precisa compreender que não está sendo você mesmo e que é sua ferida do abandono que está prevalecendo.

Na esfera alimentar, o dependente consegue comer muito sem ganhar peso. Como sua atitude interior geral é nunca ter o suficiente, é também essa a mensagem que seu corpo recebe quando ele come. Seu corpo reage em consequência disso. Quando uma pessoa come, mesmo que muito pouco, pensando estar ingerindo muito, seu corpo recebe essa mensagem e reage como se fosse muito. E ela passa, então, a ganhar peso.

No capítulo anterior, mencionei que o escapista tem tendência a se tornar anoréxico, enquanto o dependente tende mais para a bulimia. Minhas pesquisas me levam a concluir que, quando um homem dependente tem sintomas de bulimia, é porque ele procura nutrir-se de sua mãe, tamanha é a falta que sente dela. Quando a bulimia se manifesta numa mulher dependente, é o seu pai que lhe faz falta. Quando essas pessoas não têm substituto para o pai ausente, fazem uma transferência para a comida. A palavra "devorar", aliás, está muito presente em seu vocabulário. Elas dirão, por exemplo, "Meu filho devora toda a minha energia" ou "Meu trabalho devora o meu tempo".

O dependente prefere os alimentos macios aos alimentos duros. Em geral, também gosta muito de pão, que é o símbolo da terra provedora. Ele mastiga lentamente para fazer durar o prazer e a atenção, em especial quando está na companhia de outras pessoas. Aliás, as pessoas dependentes não gostam de fazer refeições sozinhas, principalmente fora de casa. Além disso, tendo dificuldade com a palavra "deixar", nunca deixam nada no prato. Tudo isso se passa de maneira inconsciente.

No tocante às doenças, o dependente em geral foi uma criança doente, fraca ou franzina. Eis alguns males que podem se manifestar nas pessoas que sofrem da ferida do abandono:

- *asma*. Uma doença em que a expiração torna-se difícil ou penosa. No plano metafísico, essa doença indica que a pessoa "recebe" mais do que deveria e só "dá" com grande dificuldade.
- *bronquite*. Quando o dependente sofre de um problema nos brônquios, isso indica que ele tem a impressão de não receber o suficiente de sua família, da qual depende extremamente. Ele tem interesse em acreditar que possui um lugar na família, e não precisa se esforçar para conseguir acreditar nisso.
- *problemas no pâncreas (hipoglicemia e diabetes) e nas glândulas suprarrenais*. Por conta de seu lado psíquico exclusivista, o dependente é propenso a ter problemas no pâncreas e nas glândulas suprarrenais. Todo o seu sistema digestivo permanece frágil porque ele acredita não ter se alimentado adequadamente, mesmo que essa carência não tenha nenhuma relação com o plano físico. Embora a carência se situe no plano afetivo, seu corpo físico, sendo o reflexo de seu psiquismo, recebe a mensagem dessa falta.
- *miopia*. Doença comum nos dependentes, ela representa a dificuldade de enxergar longe. Está ligada ao medo do futuro, sobretudo de enfrentá-lo sozinho.
- *histeria*. O dependente que alimenta muito o seu lado vítima pode vir a sofrer desse mal. Em psicologia, dizemos que a pessoa histérica é semelhante à criança que teme ser privada do leite materno e abandonada – é por isso que ela manifesta suas emoções de forma ruidosa.
- *depressão*. Vários dependentes acabam sofrendo de depressão quando sua ferida é muito grave e eles percebem sua incapa-

cidade de se sentir amados como desejariam. É também uma maneira de obter atenção.
- *enxaqueca*. A pessoa dependente sofre desse mal porque evita ser ela mesma. Ela bloqueia seu verdadeiro Eu. Faz malabarismos para ser o que os outros querem que ela seja ou vive demasiado na sombra das pessoas que ama.
- *doenças raras ou doenças ditas incuráveis*. Pude observar que o dependente contrai com mais frequência enfermidades graves ou que exigem atenção especial. Ressalto que, quando a medicina tacha uma doença de incurável, ela nos anuncia, na realidade, que a ciência não descobriu *ainda* uma cura para ela.

As doenças e indisposições acima mencionadas também podem se manifestar em pessoas com os outros tipos de ferida, mas parecem bem mais comuns nas pessoas que sofrem de abandono.

Se você se reconhece na ferida do abandono, lembre que essa ferida foi gerada pelo genitor do sexo oposto ao seu e continua a ser ativada por qualquer outra pessoa do sexo oposto. Logo, é completamente normal e humano ter ressentimentos em relação a esse genitor ou a essas pessoas.

> Enquanto guardarmos ressentimento contra um de nossos pais (mesmo inconscientemente), nossas relações com todas as outras pessoas do mesmo sexo desse genitor serão difíceis.

Em geral, o genitor responsável pela nossa ferida (pai no caso das mulheres e mãe no caso dos homens) também viveu a mesma ferida no passado, ativada pelo genitor do sexo oposto (que tem o mesmo sexo que você). As mesmas feridas se repetem de geração em geração.

Lembre-se de que nossa incapacidade de nos perdoar pelo que fizemos aos outros (ou a nós mesmos) é a principal causa de uma ferida. É difícil para uma pessoa se perdoar, pois, em geral, ela nem mesmo percebe que se odeia. Quanto mais profunda a ferida do abandono, maior o grau de autoabandono ou de abandono a outras pessoas, situações ou projetos. **Nós criticamos nos outros tudo que nós mesmos fazemos e não queremos ver.** Eis a razão por que atraímos para nosso convívio indivíduos que apontam o que fazemos de errado.

Assim como na ferida da rejeição, a vergonha é um sentimento comum. É normal achar vergonhoso ter comportamentos que criticamos nos outros.

Logo, é importante e urgente saldar tudo com nossos pais, pois é desse modo que deixaremos de repetir o mesmo tipo de situação. Pesquisas nas áreas da medicina e da psicologia constataram a perpetuação, de geração para geração, de doenças ou comportamentos destrutivos. Elas apontam para a existência de famílias de diabéticos, cardíacos, cancerosos, asmáticos, da mesma forma que para famílias de violentos, incestuosos, alcoólatras, etc.

Se você reconhece em si próprio as características do dependente, mesmo tendo recebido muita atenção por parte do seu genitor do sexo oposto, eis o que pode ter acontecido: a atenção recebida talvez não tenha correspondido àquela que você desejava. Ou talvez você tenha se sentido sufocado por essa atenção.

Posso citar como exemplo meu filho mais velho, em quem a figura do abandono permanece presente no corpo de adulto. Dos meus três filhos, ele foi o que recebeu mais atenção da minha parte. Ainda jovem e sem trabalhar fora, eu ficava em casa com ele. E era muito rígida e severa em situações que, segundo ele, não justificavam tal atitude. Eu não o largava; vigiava tudo que fazia porque queria fazer dele um ser humano perfeito (segundo minha noção de perfeição). Hoje compreendo que não era esse o tipo de atenção que meu filho desejava. Ele, então, viveu a ferida do abandono e acho normal que tenha me culpado na juventude. Agora percebo que essa experiência fazia parte de seu plano de vida e que tínhamos de compreender várias coisas juntos. Ele precisava de uma mãe como eu para realizar seu processo de perdão frente ao abandono e eu precisava de um filho como ele para me ajudar a quitar algumas coisas com meu pai. Falarei mais sobre isso no capítulo sobre a traição.

As leis espirituais explicam que, enquanto uma pessoa não tiver vivido uma experiência no amor, ela deverá voltar à Terra para reviver a mesma experiência. Voltamos com as mesmas almas, mas em papéis diferentes. Tudo isso para termos uma chance de quitar definitivamente o que não saldamos em nossas vidas pregressas.

Não se esqueça de que as características e os comportamentos descritos neste capítulo estão presentes apenas quando uma pessoa vítima de abandono veste sua máscara de dependente, julgando assim evitar o sofrimento. Conforme a gravidade da ferida e a intensidade da dor, essa máscara pode ser usada com maior ou menor frequência.

Como acontece na ferida da rejeição e em todas as outras que trataremos daqui em diante, a pessoa sempre usa uma máscara específica por medo de reviver a ferida original. No caso deste capítulo, o indivíduo se esconde atrás da máscara do dependente para fugir do sentimento de abandono.

Se você tem a ferida do abandono, provavelmente se reconheceu em alguns dos traços de personalidade que descrevi aqui. Mas reforço que, qualquer que seja a ferida, é quase impossível que alguém se identifique com todas as características referentes a ela. No entanto, quanto mais profunda for sua ferida, mais frequente será o uso da máscara, ou seja, mais características irá apresentar.

CARACTERÍSTICAS DA FERIDA DO
ABANDONO

DESPERTAR DA FERIDA: Entre 1 e 3 anos de idade com o genitor do sexo oposto. Falta de alimento afetivo ou do tipo de alimento desejado.

MÁSCARA: Dependente.

CORPO: Comprido, magro, sem tônus, pernas fracas, dorso curvado, braços parecendo compridos demais e pendendo ao longo do corpo, partes do corpo caídas ou flácidas.

OLHOS: Grandes, tristes. Olhar repuxado.

VOCABULÁRIO: "Ausente", "sozinho", "não suporto", "estou sendo devorado", "não largam do meu pé".

CARÁTER: Vítima. Exclusivista. Necessidade de presença, de atenção, de apoio e, principalmente, de amparo. Dificuldade de fazer ou decidir alguma coisa sozinho. Pede conselhos, não necessariamente para segui-los. Voz de criança. Dificuldade de receber um não (de aceitar uma recusa). Triste. Chora com facilidade. Desperta compaixão. Prende-se fisicamente aos outros. Racional. Busca independência. Gosta de sexo.

MAIOR MEDO: Solidão.

ALIMENTAÇÃO: Bom apetite. Bulimia. Gosta de alimentos macios. Come lentamente.

DOENÇAS POSSÍVEIS: Dor nas costas • asma • bronquite • enxaqueca • hipoglicemia • agorafobia • diabetes • problemas nas glândulas suprarrenais • miopia • histeria • depressão • doenças raras • doenças incuráveis.

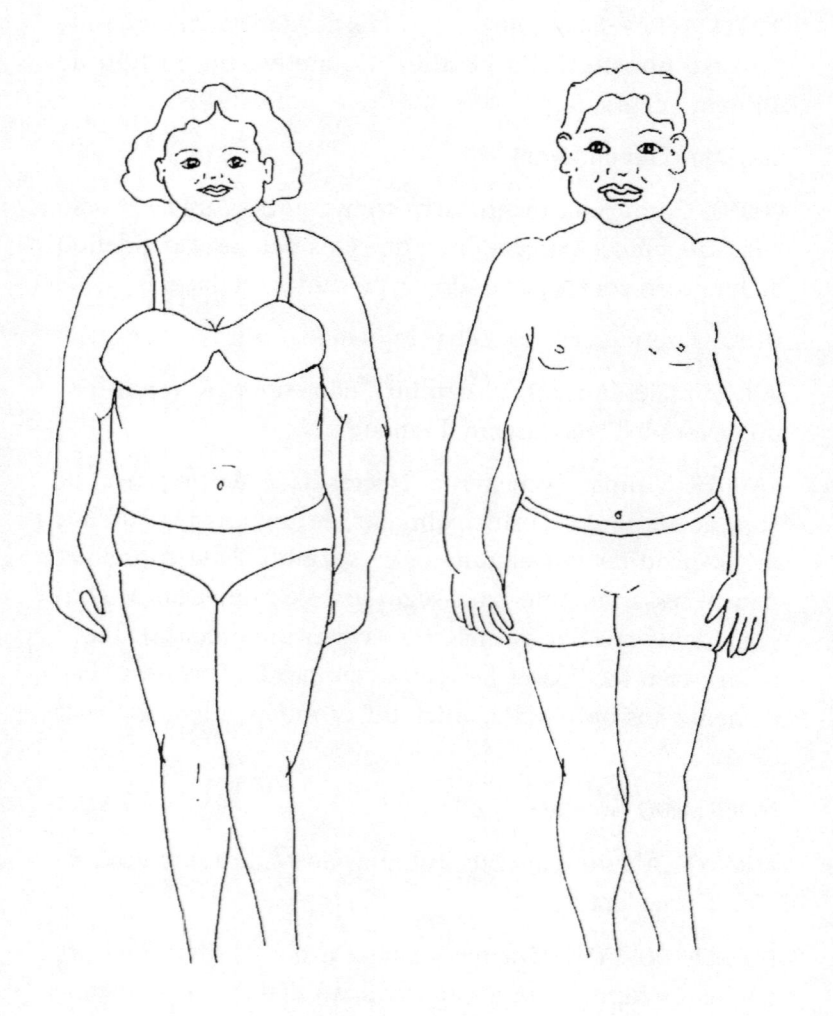

ASPECTO FÍSICO DO MASOQUISTA
(FERIDA DA HUMILHAÇÃO)

CAPÍTULO 4
A HUMILHAÇÃO

Examinemos o significado da palavra "humilhação": ação ou efeito de humilhar-se, rebaixamento moral, aviltamento. Alguns de seus sinônimos são: vexame, afronta, ultraje. Essa ferida começa a se manifestar, ou despertar, entre 1 e 3 anos de idade. Uso o verbo "despertar" para relembrar que minha teoria se baseia no fato de que antes de nascer já decidimos as feridas a serem curadas, embora não tenhamos mais consciência disso após o nascimento. A alma que vem extinguir essa ferida atrairá para si pais que a humilharão. Essa ferida está ligada principalmente ao mundo físico, do *ter* e do *fazer*. Ela desperta no momento do desenvolvimento das funções do corpo físico, período em que a criança aprende a comer sozinha, a ser asseada, a usar o banheiro, a falar, escutar e compreender o que os adultos lhe dizem, etc.

O despertar da ferida se produz no momento em que a criança sente que um de seus pais tem vergonha dela quando ela está suja, faz uma má-criação (sobretudo em público ou em família), está malvestida, etc. Independentemente da circunstância que leva a criança a sentir-se aviltada, degradada, ultrajada ou envergonhada em termos físicos, a ferida é despertada e ganha amplitude. Tomemos o exemplo do bebê que brinca com seu cocô, espalhando-o pelo colchão ou fazendo alguma outra arte nojenta. A ferida desperta quando ele ouve a mãe contar ao pai o que aconteceu chamando-o de "porquinho". Mesmo em idade tenra, o bebê pode perceber o nojo nos pais e se sentir humilhado e envergonhado.

Lembro-me de um episódio quando eu tinha 6 anos e era interna num colégio de freiras. Dormíamos todas juntas num grande dormitório e, quando uma garotinha fez xixi na cama, a religiosa a obrigou a percorrer as salas de aula no dia seguinte com seu lençol sujo nas costas. Humilhando-a e mortificando-a daquela maneira, a freira julgava que aquilo não se repetiria mais. Todos sabemos que acontece justamente o contrário. Esse tipo de humilhação agrava a situação. Toda criança que tem uma ferida da humilhação e vive tal experiência verá sua ferida piorar.

A sexualidade também contribui com sua cota de potencial humilhação. Por exemplo, quando a mãe surpreende o filho se masturbando e exclama "Que vergonha! Isso não se faz!", o menino se sente mortificado, envergonhado e mais tarde terá problemas no campo sexual. Se a criança surpreende o pai ou a mãe sem roupa e percebe que ele, ou ela, está constrangido, pois fica procurando se esconder, aprende que se deve ter vergonha do próprio corpo.

Essa ferida pode então ser vivida em diferentes domínios, dependendo do que aconteceu entre 1 e 3 anos de idade. A criança, achando que não tem liberdade para agir ou se movimentar como quer no nível físico, se sente rebaixada e excessivamente controlada pelos pais. Por exemplo, um pai repreende e coloca de castigo o filho que, com a roupa limpa, foi brincar na lama logo antes da chegada dos convidados. Se os pais contam o incidente aos convidados na frente da criança, a humilhação virá ainda mais forte. Esse comportamento pode levar a criança a acreditar que enoja seus pais. Sente-se então humilhada e tem vergonha do próprio comportamento. Em contrapartida, é frequente ouvir as pessoas contando todas as coisas "erradas" que fizeram quando jovens e adolescentes. É como se procurassem situações para reviver a humilhação.

Ao contrário das outras quatro feridas, vividas com um genitor específico ou com a pessoa que desempenhou esse papel, **a ferida da humilhação é comumente vivida com a mãe**. No entanto, pode ser vivida com o pai quando este exerce o controle e faz o papel de mãe ensinando a criança a ser asseada, etc. É possível também que a ferida da humilhação esteja ligada à mãe no campo da sexualidade e do asseio, e ao pai no campo do aprendizado, da audição e da fala. Nesse caso, o acerto de contas teria que ser feito com os dois pais.

A criança que vive a humilhação forjará para si a máscara do *masoquista*. O masoquismo é o comportamento de uma pessoa que encontra satisfação e até prazer em sofrer. Em geral, ela procura a dor e a humilhação de maneira inconsciente. Ela se planeja para se machucar ou castigar antes que outro o faça. Embora eu tenha dito que a humilhação ou a vergonha que o masoquista vive se situa nos domínios do *ter* e do *fazer*, por vezes ele faz de tudo para conseguir *ser* como os outros gostariam que ele fosse; mas é o que ele *faz* ou não *faz*, ou o que *tem* ou não *tem*, que desencadeia sua ferida da humilhação. Também observei que *fazer* e *ter* coisas se tornam meios para compensar a ferida.

A partir de agora, quando eu utilizar o termo "masoquista", lembre-se de que estou me referindo à pessoa que sofre de humilhação e que veste uma máscara de masoquista para evitar sofrer e viver a dor associada à humilhação.

Repito o que escrevi nos capítulos anteriores. Uma pessoa pode viver uma experiência de vergonha ou de humilhação sem que a ferida da humilhação seja despertada. Por outro lado, uma pessoa masoquista pode viver uma experiência de rejeição e se sentir mais humilhada do que rejeitada. É verdade que os cinco tipos de pessoa mencionados aqui podem ter vergonha, entretanto, parece que é a pessoa com a ferida da humilhação que a sente com mais regularidade.

Devo esclarecer agora a diferença entre vergonha e culpa. Sentimo-nos culpados quando julgamos errado algo que fizemos ou deixamos de fazer. Temos vergonha quando nos consideramos incorretos com relação ao que acabamos de fazer. O oposto da vergonha é o orgulho. A partir do momento em que uma pessoa não sente orgulho de si mesma, ela sente vergonha, acusa a si própria e é levada a querer se esconder. Uma pessoa pode se sentir culpada sem ter vergonha, mas não pode ter vergonha sem se sentir culpada.

Na descrição física da máscara do masoquista, como este se julga sujo, sem coração, porco ou menor do que os outros, ele desenvolve um corpo grande que lhe dá vergonha. Um corpo grande é diferente de um corpo musculoso. Um indivíduo pode pesar 20 quilos a mais que o seu peso "normal" e não ser gordo. Talvez tenha a aparência de uma pessoa forte. O masoquista, por sua vez, é grande por conta do excesso de gordura. Seu corpo é rechonchudo, parece mais compacto do que largo. Podemos notar isso ao observá-lo de costas. A pessoa forte é mais musculosa, com um corpo mais largo do que compacto, e, vista de costas, não dá a impressão de ser gorda. Essa descrição se aplica tanto às mulheres quanto aos homens.

Se apenas uma parte do corpo é grande e protuberante (por exemplo, a barriga, as nádegas ou os seios), isso indica uma ferida da humilhação menos intensa. Podemos também associar à máscara de masoquista as seguintes características: estatura baixa; pescoço largo e inchado; tensões no pescoço, na garganta, nos maxilares e na pélvis. Ele costuma ter um rosto redondo e seus olhos são arregalados e inocentes como os de uma criança. É evidente que uma pessoa com todas essas características físicas sofre de uma ferida mais intensa.

Trabalhei com centenas de masoquistas, a maioria mulheres, que apresentavam uma ferida da humilhação evidente. Várias delas levaram até um ano para admitir que tinham vergonha de si mesmas ou se sentiam humilhadas. Se você reconhece em seu corpo as características físicas do masoquista e tem dificuldade em perceber sua ferida da humilhação, não se preocupe e gaste o tempo que for preciso para fazer isso. Aliás, não gostar de apressar as coisas constitui uma das características do masoquista. É difícil para ele, inclusive, acelerar o ritmo quando necessário, e sente vergonha por não conseguir chegar tão rápido quanto os outros. Ele precisa aprender a se dar o direito de avançar no próprio ritmo.

É difícil reconhecer a máscara do masoquista nas pessoas que conseguem controlar bem o peso. Se você é do tipo que ganha peso com facilidade e fica gordinho quando não controla a alimentação, é possível que tenha essa ferida da humilhação e ela esteja momentaneamente oculta. Essa rigidez que lhe permite controlá-la é explicada no Capítulo 6 deste livro.

Querendo se mostrar firme e não ser controlado por aqueles que o humilham, o masoquista passa a ser muito dinâmico e sua coluna sofre. Tomemos como exemplo o caso de uma mulher que, querendo agradar ao marido, aceita que a sogra venha morar em sua casa. Pouco tempo depois, a sogra fica doente e ela se julga então obrigada a cuidar dela. O masoquista tem o dom de se colocar em situações em que deve cuidar de alguém. Assim, esquece cada vez mais de si mesmo. Quanto mais coisas carrega nas costas, mais peso ganha.

Toda vez que o masoquista tenta fazer tudo pelos outros, ele deseja, na realidade, criar restrições e obrigações para si próprio. Ele acredita que despender tempo para ajudar os demais é algo que não lhe trará vergonha, no entanto, muitas vezes, sente-se humilhado porque os outros se aproveitam dele. Aliás, ele raramente se sente reconhecido pelo que faz. Ouvi várias mulheres masoquistas dizerem que estavam cheias de bancar a *empregada*. E, embora se queixassem, continuavam a agir assim, pois não percebiam que elas mesmas haviam criado tais obrigações. Também ouvi diversos desabafos, como por exemplo: "Após 30 anos de bons serviços, a direção me jogou na rua feito lixo!" Esse tipo de pessoa, que se considera dedicada, não se sente realmente reconhecida. Além disso, é fácil perceber o sentimento de humilhação exposto nessa frase. Uma pessoa não masoquista tenderia a dizer "Após 30 anos de serviço, eles me despediram", sem usar o termo "lixo".

O masoquista não compreende que, **fazendo tudo para os outros, os degrada e humilha, fazendo-os sentir que, sem sua ajuda, não serão bem-sucedidos**. É comum, inclusive, o masoquista afirmar perante a família e os amigos que determinada pessoa não faz nada sem ele; e isso diante da própria pessoa, que se sentirá duplamente humilhada.

É importante que ele se dê conta de que não precisa ocupar tanto espaço na vida de seus conhecidos. Mas, em geral, ele não percebe que age dessa forma, pois costuma fazê-lo de maneira sutil. Eis por que seu corpo físico ocupa muito espaço: ele reflete sua crença. Quando o masoquista conseguir se achar especial e importante, não terá mais que provar isso para os outros. Reconhecendo-se, seu corpo não precisará mais ocupar tanto espaço.

Ele parece controlar-se, mas esse controle é motivado principalmente pelo medo de ter vergonha dos que lhe são próximos ou de si mesmo. A mãe masoquista, por exemplo, tende a controlar o vestuário, a aparência e o asseio de seus filhos e de seu parceiro. É o tipo de mãe que quer que os filhos cuidem do próprio asseio desde muito pequenos. Se ela não conseguir isso, sentirá vergonha de si mesma como mãe.

Como o masoquista, homem ou mulher, é frequentemente apegado à mãe, ele vai fazer de tudo para não lhe causar vergonha. Ela tem bastante influência sobre um masoquista, mesmo que isso aconteça de modo inconsciente e involuntário. Ele vê a mãe como um grande peso a ser carregado, o que lhe fornece outra boa razão para se julgar um apoio bem sólido. Essa influência continua inclusive após a morte dela. Embora isso lhe provoque um sentimento de vergonha, em geral o masoquista se sente consolado ou libertado pela morte da mãe, pois ele costumava permitir que ela sufocasse sua liberdade. Apenas quando a ferida da humilhação está em vias de ser curada é que essa influência se atenua.

Mas há aqueles que são de tal forma apegados à mãe que, quando esta morre, têm uma forte crise de agorafobia. Infelizmente, esses indivíduos costumam ser medicados como se fossem depressivos. E, como não são tratados de modo correto, pela doença que de fato têm, levam muito tempo para se recuperar.

O masoquista tem dificuldade para exprimir suas reais necessidades e o que sente verdadeiramente. Desde jovem, evita falar com medo de se envergonhar ou causar vergonha a alguém. Os pais de uma criança masoquista lhe dizem frequentemente que o que acontece na família não é da conta de ninguém e que ela não deve falar sobre isso. Deve guardar tudo para si. As situações vexaminosas ou os membros da família dos quais temos vergonha devem ser mantidos em segredo. Não se fala, por exemplo, de um tio na prisão, de um irmão suicida, de um membro da família internado num hospital psiquiátrico, etc.

Certa vez um homem me contou que se envergonhava por ter feito sua mãe sofrer, quando ele era jovem, ao roubar dinheiro de sua bolsa. Ele considerava inaceitável fazer isso com uma mãe que já se privava de tudo em prol dos filhos. Ele nunca havia contado aquilo a ninguém. Se pensarmos nas centenas de pequenos segredos como esse que ele guarda dentro de si, compreenderemos por que esse homem tinha problemas na garganta e na voz.

Algumas pessoas me confidenciaram a vergonha que sentiam na adolescência quando desejavam coisas caras enquanto sua mãe se privava do essencial. Elas não ousavam falar desses desejos, principalmente com a mãe. Em geral, o masoquista chega ao ponto de perder contato com os próprios desejos para não desagradar a mãe.

O masoquista costuma ser hipersensível, qualquer coisa o

afeta. Por isso, faz de tudo para não magoar os outros. Quando alguém, sobretudo seus entes queridos, se sente infeliz, ele se julga culpado. Acha que deveria, ou não deveria, ter dito ou feito alguma coisa. Não compreende que, ao se manter focado nas necessidades dos outros, não escuta as suas próprias. Dos cinco tipos de personalidade, o masoquista é o que menos ouve suas necessidades, embora quase sempre tenha consciência do que quer. Ele sofre com isso, o que contribui para alimentar sua ferida da humilhação e sua máscara de masoquista. Ele faz de tudo para se mostrar útil. É uma maneira de esconder sua ferida e ter a ilusão de que não sofre de humilhação.

O masoquista costuma ter a capacidade de fazer os outros rirem. Ele é muito expressivo e engraçado contando histórias. E coloca-se como alvo do riso das pessoas. É uma maneira inconsciente de se humilhar e se rebaixar. Assim, talvez ninguém adivinhe que, sob as palavras que despertam as risadas, se esconde o medo da vergonha.

A menor crítica feita a seu respeito o faz sentir-se degradado. Além disso, ele é um especialista em menosprezar a si mesmo. Vê-se muito menor e menos importante do que é na realidade. Para ele, é inconcebível que os outros o considerem uma pessoa especial e importante. Observei que o diminutivo está muito presente em seu vocabulário. Ele dirá coisas como "Tem um minutinho para mim?", "Posso dar uma sugestãozinha". Sua letra é miúda, assim como seus passos; ele gosta de carros pequenos, casas pequenas, objetos pequenos, pouca comida, etc. Se você se reconhece na descrição do masoquista e não tem consciência de falar dessa maneira, sugiro que peça a seus amigos que o observem e escutem. Em geral somos os últimos a nos conhecer de verdade.

Quando o masoquista usa o termo "grande", é na verdade para se rebaixar e se humilhar. Se ele se sujar comendo, por exemplo (o que é bastante frequente), dirá ou pensará: "Que grande porco eu sou!" Certo dia, numa reunião social, eu estava na companhia de uma senhora do tipo masoquista que estava muito bem-vestida e usava joias deslumbrantes. Elogiei-a e ela me respondeu: "Pareço uma grande milionária, não acha? Mas só pareço."

O indivíduo que sofre de humilhação é sempre levado a se recriminar por tudo e até mesmo a assumir a culpa pelos outros. É sua maneira de ser uma boa pessoa. Um homem masoquista me contou que, quando sua esposa se sente culpada de alguma coisa, ele se deixa facilmente convencer de que a culpa é dele. Por exemplo, ela lhe dá uma lista de compras e se esquece de anotar um item que é comprado regularmente. Ele volta da loja sem aquele item e é repreendido: "Por que não se lembrou? Você sabe muito bem que compramos isso toda semana!" Ele se sente culpado e se recrimina. Não compreende que ela o acusa porque se sente culpada. Mas, mesmo que ela tivesse lamentado o próprio esquecimento, ele se odiaria por não ter pensado em comprá-lo e se desculparia.

Esse exemplo ilustra fielmente o hábito que o masoquista tem de assumir a culpa e se recriminar por tudo, até mesmo pelo que não é de sua responsabilidade. Assumir a culpa e se desculpar nunca resolvem nada, pois todas as vezes que esse tipo de situação se repete ele se culpa novamente.

É importante ressaltar que os outros não podem nos fazer sentir culpados, pois a culpa só pode vir de dentro de nós.

A pessoa masoquista em geral se sente impotente diante dos amigos mais chegados. Quando é repreendida (reação que ela atrai de maneira inconsciente), fica perplexa, não sabendo o que dizer para se defender. Censura-se e sofre pela situação. Em seguida, tentará encontrar justificativas e explicações, com a finalidade de fazer as pazes. Julgando-se culpada, acha que é seu dever conciliar as coisas. Todos os cinco tipos de caráter se sentem culpados por razões distintas. O masoquista, por sentir-se humilhado com facilidade, é mais suscetível à culpa.

A liberdade é muito importante para o masoquista. Ser livre significa não ter que prestar contas, não ser controlado por ninguém e fazer o que quer e quando quer. Em criança, o masoquista sentia-se preso, sobretudo aos pais. Estes o impediam de ter os amigos que ele queria ou de sair à vontade e lhe davam várias tarefas ou responsabilidades em casa, como cuidar das outras crianças. Em geral, o masoquista é induzido a criar obrigações para si mesmo com mais regularidade do que o normal.

Quando sente que não há ninguém para refreá-lo, ele explode, vive a vida a fundo, sem limites. E exagera. Come demais, compra demais, cozinha demais, bebe demais, transa demais, quer ajudar demais, trabalha demais, gasta demais, acha que tem coisas demais, fala demais. Quando adota um desses comportamentos, tem vergonha de si mesmo, sentindo-se mal com os olhares ou os comentários dos outros. Daí seu temor de chegar ao seu limite, pois está convencido de que fará coisas vexatórias, tanto no plano sexual quanto no social. Além disso, acha que, se cuidar muito de si, não será útil aos outros. Isso vem despertar a humilhação vivida na juventude, quando ele ousava se recusar a cuidar dos outros. Há muita energia bloqueada no corpo do masoquista. Se ele se permitisse, sem vergonha ou culpa, ser livre como precisa, seu corpo emagreceria, pois ele desbloquearia a energia.

O maior medo do masoquista é, portanto, a **liberdade**. No fundo, ele está convencido de que não saberia administrar o fato de ser livre. Logo, arranja inconscientemente um jeito de não sê-lo. Ele acha que, fazendo as próprias escolhas, não será controlado pelos outros; mas suas decisões costumam resultar no oposto, ou seja, em mais coerções e obrigações. Veja alguns exemplos de como isso acontece:

- O rapaz se sente na prisão dentro de casa, por conta de sua esposa controladora. Arranja então dois ou três empregos extras à noite para escapar disso. Julga-se livre, mas na realidade não tem mais liberdade para se divertir e curtir o filho.
- A moça está solteira e, para se sentir livre, compra a própria casa. E não tem mais tempo livre para si, pois ficou sobrecarregada com tantas tarefas que a situação exige.

O que o masoquista faz para se libertar em determinado domínio o aprisiona em outro. Além disso, ele cria diversas situações em seu cotidiano que o obrigam a fazer coisas que não correspondem às suas necessidades.

Outra característica do masoquista é punir-se julgando penalizar o outro. Uma mulher me contou que discutia muito com o marido porque ele costumava sair com os amigos e não ficava com ela. Essas discussões terminavam com ela dizendo para ele: "Se não está satisfeito, a porta é ali!" Ele rapidamente pegava o paletó e saía. E lá estava a mulher sozinha de novo. Julgando puni-lo, ela punia a si mesma, permanecendo sozinha em casa enquanto o marido, feliz da vida, ia para a rua. Eis um bom método de alimentar sua parte masoquista.

O masoquista também tem o dom de se castigar antes que outro o faça. Isso acontece principalmente quando ele tem vergonha de alguma coisa ou tem medo de ter vergonha perante outra pessoa. Ele tem tanta dificuldade em se proporcionar prazer que, quando se diverte em determinada atividade ou na companhia de alguém, culpa-se por estar feliz demais. O masoquista faz tudo que pode para que as pessoas não achem que ele desfruta das coisas boas. Quanto mais se acusa de ser assim, mais seu corpo ganha peso.

Certo dia, uma jovem mãe me confessou: "Acho que sempre dou um jeito de não ter tempo de me proporcionar prazer ou de não sentir prazer no que faço." Ela acrescentou que, à noite, quando o marido e os filhos veem um programa na TV, ela para um pouco ao lado deles e presta atenção. Quando gosta do programa, fica de pé assistindo. Não se permite nem se sentar, pois, segundo ela, ficaria com preguiça, e isso não faria dela uma boa mãe. O senso do dever é muito importante para as pessoas masoquistas.

Muitas vezes o masoquista é o intermediário entre outras duas pessoas. Serve de "amortecedor", o que é uma razão para criar uma boa camada protetora para si. A mãe masoquista intervirá, por exemplo, nas questões entre o pai – ou o professor – e as crianças, em vez de lhes ensinar a assumir suas responsabilidades. No trabalho, o masoquista escolhe um cargo em que se vê obrigado a intervir para conciliar tudo e deixar todos satisfeitos. Sem assumir um papel assim, ele sentiria vergonha de não fazer nada pela felicidade dos outros.

É possível ver no corpo do masoquista quanto ele está sobrecarregado. Ele sente dores na coluna e nos ombros arqueados.

Podemos também perceber em seu corpo em que momento ele não consegue mais lidar com determinada situação: temos a impressão de que sua pele está repuxada ao máximo, que não há mais espaço, que ele está comprimido. Se isso acontece com você, seu corpo está tentando lhe dizer que está mais do que na hora de começar a cuidar de sua ferida da humilhação, pois você não consegue mais suportar a situação.

Ao contrário do que se poderia pensar, a aparência é importante para as pessoas masoquistas; basta ver a maneira como algumas se vestem. No fundo, elas adoram as roupas descoladas e um visual moderno, mas, como acham que devem sofrer, não se permitem isso. Quando uma pessoa masoquista se veste com roupas muito coladas ao corpo, deixando bem à mostra umas gordurinhas a mais, é sinal de que sua ferida é mais grave. Ela se faz sofrer mais. Quando começa a se permitir comprar roupas vistosas e de boa qualidade, do tamanho certo e do seu gosto, sabemos que sua ferida está no caminho da cura.

O masoquista tem o dom de atrair para si situações capazes de humilhá-lo. Eis alguns exemplos:

- A mulher arranja um homem que não sabe se comportar em público quando bebe muito.
- A mulher arranja um parceiro que flerta com outras na sua frente.
- O homem arranja uma companheira mal-educada, sobretudo diante de seus colegas de trabalho.
- O homem e a mulher têm o dom de sujar suas roupas quando se alimentam em público: o homem entorna comida na gravata e a mulher, no peito. Ela dirá que seus seios grandes por vezes a atrapalham, mas, na verdade, não quer enxergar que atrai situações humilhantes ou vexatórias para ajudá-la a descobrir sua ferida. Quantas vezes ouvi mulheres masoquistas me dizerem durante o almoço: "Que grande tonta eu sou! Ainda por cima me sujei!" Quanto mais tentam limpar a mancha, mais ela parece aumentar.
- O homem passa um período desempregado e, quando vai dar entrada no pedido de seguro-desemprego, nota que um ex--colega ou conhecido o vê entrar na fila. Ele tenta se esconder.

Só os indivíduos que sofrem de humilhação vivem as situações descritas nos exemplos anteriores dessa maneira. Outra pessoa poderia, na mesma circunstância, sentir-se rejeitada, abandonada, traída ou injustiçada.

Lembre-se: não é o que você vive que o faz sofrer, mas sim sua reação ao que você vive, por causa de suas feridas não curadas.

O nojo é um sentimento muito vivenciado pelo masoquista. Ele tem nojo de si mesmo ou de outras pessoas. Ele cria situações em que sentirá nojo e sua primeira reação será rejeitar aquilo que lhe dá repulsa. Conheci várias pessoas masoquistas que tinham nojo dos pais: uma mãe suja, muito gorda, preguiçosa ou vulgar; um pai alcoólatra e fumante inveterado, que cheirava mal ou saía com más companhias ou outras mulheres. Quando crianças, essas pessoas não queriam convidar os amigos para irem à sua casa, o que diminuía a possibilidade de ter tantos amigos quanto os outros.

Para mostrar até que ponto o masoquista tem dificuldade para estar em contato com suas próprias necessidades, é muito comum vê-lo fazer pelos outros o que não faz por si mesmo. Eis alguns exemplos:

- O homem ajuda o filho a pintar seu apartamento, mas não encontra tempo para realizar essa tarefa na própria casa.
- A mulher deixa a casa um brinco para os convidados, mas, quando está sozinha, não age da mesma forma. Ela julga não merecer aquilo.
- A mulher que gosta de estar bem-arrumada e se veste bem na presença dos outros, mas, sozinha, anda em "farrapos". Se alguém chega inesperadamente, ela sente vergonha e tem vontade de se esconder.

O ser humano faz de tudo para não ter consciência do sofrimento, pois tem muito medo de sentir a dor associada à sua ferida. O masoquista faz isso tentando ser digno a todo custo. Utiliza bastante as expressões "ser digno" ou "ser indigno". Ele acredita que não merece, por exemplo, ser amado ou reconhecido. Dessa forma, supõe que não é digno de ser feliz, só de sofrer. Tudo isso se desenrola, em geral, de maneira inconsciente.

Na esfera da sexualidade, o masoquista também enfrenta dificuldades em virtude da vergonha que sente. Com todos os tabus transmitidos na educação sexual das crianças, é normal que a pessoa que se envergonha com facilidade seja influenciada pelas noções de pecado, indecência e sujeira ligadas à sexualidade. Tomemos como exemplo o filho de uma mãe que engravidou na adolescência. Se essa gravidez gerou vergonha, a criança terá sua ferida despertada muito cedo, tão cedo que ela se tornará um adulto com uma ferida mais pronunciada. Desde a concepção, ela terá uma imagem deturpada do ato sexual. Sei que, em nossos dias, a sexualidade é muito mais livre do que antes, mas não se deixe enganar por isso. A vergonha sexual transmitida de geração em geração só será resolvida quando a ferida da humilhação for curada. Constatei, ao longo dos anos, que a maioria dos indivíduos que sofre de humilhação faz parte de famílias cujos membros têm problemas sexuais. Não foi à toa que todas essas almas se atraíram.

A garota masoquista tende a se reprimir sexualmente, em geral para não causar vergonha à mãe, que costuma ser controladora a esse respeito. A adolescente aprende que o sexo é nojento e mais tarde terá de trabalhar sua mente para conseguir se livrar dessa crença. Certa vez, uma menina de 14 anos me contou que morreu de vergonha quando deixou um menino beijá-la e tocá-la. No dia seguinte, na escola, tinha a impressão de que todo mundo olhava para ela, sabendo o que ela fizera.

Quantas adolescentes se sentem humilhadas no momento da chegada da primeira menstruação e do despontar dos seios! Algumas tentam inclusive comprimir os seios quando os acham grandes demais.

O garoto adolescente masoquista sente-se igualmente controlado no nível sexual. Morre de medo de ser surpreendido se masturbando. Mas quanto mais vergonhoso lhe parece o gesto, mais ele é impelido a repeti-lo. Atrairá assim situações humilhantes e vergonhosas com seus pais e amigos na esfera sexual.

A humilhação é mais forte em geral entre mães e filhas. Se uma pessoa acha o sexo vergonhoso e sujo, tende a atrair o assédio e os abusos, sobretudo durante a infância e a adolescência. Sentirá tanta vergonha que não ousará falar disso com ninguém.

Várias mulheres do tipo masoquista me contaram que, após reunirem toda a coragem para dizer às mães que estavam sofrendo assédio ou incesto, ouviram em resposta coisas como "A culpa é sua, você que é sexy demais", "Quem manda provocar?" ou "Com certeza você fez alguma coisa para isso acontecer". Esse tipo de reação materna só faz intensificar o sentimento de humilhação, vergonha e culpa da filha. Quando uma mulher adota uma grande proteção sob a forma de excesso de gordura em torno dos quadris, nádegas e barriga, ou seja, na região sexual, podemos presumir um medo com relação à sexualidade, causado pelos abusos de que foi vítima.

Não surpreende ver tantas meninas adolescentes, e cada vez mais meninos, começarem a engordar no momento em que o impulso sexual se manifesta com mais intensidade. É um bom método para não serem desejáveis, não serem assediados e, inconscientemente, se privarem do prazer sexual. Muitas mulheres já me disseram "Se eu tivesse um corpo bonito e magro, eu seria sexy demais e talvez enganasse meu marido" ou "Eu me vestiria mais sexy e meu marido teria ciúmes". Constatei que a maioria das pessoas gordas, homens e mulheres, são muito sensuais.

As pessoas masoquistas não são apenas sensuais, são sexuais. Fariam amor com frequência se fossem capazes de dedicar um tempo a reconhecer suas verdadeiras necessidades nesse domínio (como em muitos outros, aliás). Ouvi diversas vezes mulheres dizerem que, quando sentem desejo de fazer amor, não ousam comunicar a seus parceiros. É inconcebível, segundo elas, importunar o outro com seu próprio desejo.

O homem masoquista tampouco tem o tipo de vida sexual que deseja. Ou é muito tímido frente ao sexo ou obcecado por ele. Pode ter dificuldades de ereção ou sofrer de ejaculação precoce.

Quando uma pessoa masoquista se dá o direito de gostar de sexo e encontra o parceiro com quem poderia se sentir à vontade, ela tem dificuldade de se entregar completamente. Sente vergonha de expor o que aprecia no sexo e de se permitir produzir sons, por exemplo, para mostrar a que ponto gosta daquilo.

A confissão, exigida pela religião, foi igualmente fonte de vergonha para aqueles obrigados a isso em sua juventude, mais especialmente para a adolescente compelida a expor sua vida sexual a um homem. No passado, as pessoas deviam inclusive confessar seus *maus pensamentos*. Imagine a dificuldade, principalmente para uma adolescente do tipo masoquista, de confessar ter feito amor antes de se casar. As mais religiosas morriam de vergonha perante Deus, pois consideravam inaceitável decepcioná-Lo e achavam humilhante ter de contar aquilo a um padre. Essa humilhação deixa uma marca profunda, que leva anos para desaparecer.

Também é um grande esforço, para o homem e a mulher masoquistas, despir-se diante de um novo parceiro. Temem sentir vergonha, embora, no fundo, sintam enorme prazer de passear nus quando conseguem se conceder esse direito. Sendo pessoas sensuais, tanto podem achar o sexo "sujo" como desejar ser ainda mais "sujos" em sua sexualidade. Isso talvez seja difícil de compreender para alguém que não é do tipo masoquista, mas os que o são compreendem. Acontece a mesma coisa com todos os tipos de ferida. Compreende melhor quem vive aquela mesma experiência.

Consequentemente, a ferida da humilhação afeta nossa maneira de nos comunicar. Os medos do masoquista que o impedem de se comunicar com clareza são: de magoar o outro, de parecer egoísta, de revelar suas necessidades ou desejos, de ser rebaixado ou humilhado, de que o outro o faça sentir-se como lixo, de se sentir ou ser tachado de indigno. Reconhecer-se nesses medos é um bom meio para descobrir que você não está sendo você mesmo e que é sua ferida da humilhação que prevalece.

Eis algumas indisposições e doenças que podem se manifestar no masoquista:

- *dores na coluna*. Dores na coluna e sensação de peso sobre os ombros são muito frequentes, pois ele carrega muito "peso" nas costas. Sua dor na coluna deve-se principalmente a seu sentimento de falta de liberdade. A base da coluna é afetada quando o mal está ligado às coisas materiais e a parte superior, ao domínio afetivo.
- *problemas respiratórios*. Ele pode sofrer desse problema caso se deixe sufocar pelos problemas dos outros.
- *problemas físicos*. Problemas nas pernas e nos pés, como varizes, entorses e fraturas, são frequentes. Devido ao medo de ficar inválido, ele termina por atrair problemas físicos que o impedem de se mover.
- *fígado*. É comum ele sofrer de problemas no fígado, pois é do tipo que "filtra" a raiva (a sua própria e a dos outros).
- *garganta*. Laringites e anginas são problemas que o masoquista enfrenta, pois ele costuma reprimir o que tem a dizer e sobretudo o que deseja pedir.
- *tireoide*. Quanto maior sua dificuldade em ter consciência de suas necessidades, maior a probabilidade de problemas na tireoide.
- *problemas dermatológicos*. O fato de não saber escutar suas necessidades provoca frequentemente comichões na pele. Sabemos que a expressão "isso me dá uma coceira" significa "tenho muita vontade de...", mas o masoquista não se permite isso, uma vez que seria vergonhoso querer se proporcionar prazer.
- *hipoglicemia e diabetes*. Outro problema físico que pude observar nas pessoas masoquistas é o mau funcionamento do pâncreas, o que provoca hipoglicemia e diabetes. Essas doenças se

manifestam nas pessoas que têm dificuldade de ter prazer ou nas que o aceitam mas se sentem culpadas.
- *problemas cardíacos.* O masoquista é predisposto a problemas cardíacos porque não se ama o suficiente. Ele não se julga importante o bastante para desfrutar do prazer. A região do coração, no ser humano, tem um elo direto com a alegria de viver e a capacidade de se proporcionar prazer.
- *intervenções cirúrgicas.* Por causa de sua crença no sofrimento, não é raro ver um masoquista passar por diversas cirurgias.

Se você estiver com um ou vários desses problemas físicos, há fortes chances de que eles sejam causados pelo comportamento ligado à sua máscara de masoquista. Essas doenças podem se manifestar em pessoas com outras feridas, mas parecem muito mais comuns nas que sofrem de humilhação.

Em relação à alimentação, o masoquista é frequentemente extremista. Ou come feito um glutão, ou só engole pequenas porções para fingir para si mesmo que não come muito e não sentir vergonha. Em contrapartida, ingere diversas pequenas porções, o que, somado, significa muito. Tem momentos de bulimia, em que comerá às escondidas, sem, no entanto, se dar conta do que está comendo. É do tipo que come de pé, junto à bancada da cozinha, por exemplo. Assim tem a impressão de não ter comido tanto quanto se tivesse se dado o tempo de sentar à mesa. Tem preferência pelos alimentos ricos em gordura.

Em geral, sente-se muito culpado e tem vergonha de comer praticamente qualquer coisa, inclusive o que engorda, como chocolate. Uma participante de uma oficina que ministrei me contou que, quando está na fila do mercado, prestes a pagar, olha todas as bobagens que colocou no carrinho e tem vergonha do que as pessoas em volta podem pensar. Fica convencida de que a consideram uma baleia.

O fato de achar que come demais não ajuda a pessoa masoquista a controlar o peso, pois, como se sabe, nossas crenças sempre se realizam. Quanto mais ela pensa e se sente culpada por ter comido demais, mais a comida ingerida a faz engordar. Se uma pessoa absorve uma grande quantidade de alimentos e não ganha peso, é porque não tem a mesma atitude interior, a mesma crença. Os cientistas dirão que essas duas pessoas têm um metabolismo diferente. Os indivíduos podem, de fato, ter um metabolismo ou um sistema glandular diferente que pode afetar o corpo físico, mas continuo convencida de que é o sistema de crenças que determina o tipo de metabolismo, de sistema glandular ou de sistema digestivo de uma pessoa, e não o contrário.

O masoquista busca recompensa na comida. É sua tábua de salvação, sua maneira de se gratificar. Quando começar a fazer isso por outros meios, sentirá menos necessidade de recorrer ao alimento. Ele não deve se odiar por esse comportamento, pois foi o que o salvou e o ajudou a sobreviver até aqui.

Segundo as estatísticas, 98% das pessoas que seguem um regime para emagrecer recuperam o peso perdido. Você já notou que a maioria dos que desejam emagrecer afirma querer *perder* peso? Ora, é da natureza humana querer recuperar aquilo que perdeu. Eis por que seria preferível dizer *eliminar* em vez de *perder* peso.

Pude observar que, após diversos regimes, as pessoas que perdem e recobram peso com muita frequência têm mais dificuldade de tornar a perder e cada vez mais facilidade de ganhar peso. O corpo físico parece cansar-se do trabalho exigido. É preferível aceitar seu corpo e trabalhar a ferida da humilhação, tal como indicado no último capítulo deste livro.

Para se tornar mais consciente de sua ferida da humilhação, o masoquista deve compreender a que ponto tem vergonha de si mesmo ou das outras pessoas. Além disso, deve reconhecer todas as ocasiões em que se humilhou ou se considerou indigno. Como ele costuma ser radical, a princípio não enxerga as situações vexatórias, mas logo admite várias delas. Quando isso acontece, sua primeira reação é ficar em choque, mas depois acha graça. É o início da cura.

Se você se reconhece na ferida da humilhação, lembre-se de que precisa trabalhar mais no nível da alma, libertando-se do sentimento de humilhação. Se você trabalha apenas no nível físico, controlando-se o tempo todo para não engordar ou para emagrecer, não está em harmonia com seu plano de vida e deverá reencarnar num novo corpo, talvez ainda mais gordo. Enquanto estiver aqui, é mais sensato planejar libertar sua alma do que controlar seu corpo.

É importante saber que sua mãe e/ou seu pai também vivem a ferida da humilhação. Ao sentir compaixão por eles, será mais fácil senti-la por você mesmo.

Lembre-se de que a principal causa de uma ferida é a incapacidade de perdoar o que infligimos a nós mesmos ou aos outros. É difícil nos perdoar, pois, em geral, não temos consciência de que nos autossabotamos. Quanto mais grave a ferida da humilhação, mais você se humilha (comparando-se aos outros) ou humilha outras pessoas (sentindo vergonha delas ou querendo fazer demais por elas).

Já mencionei que a máscara de masoquista parece ser a mais difícil de reconhecer e aceitar. Se você se vê na descrição física dessa máscara, mas não nas outras características, sugiro que releia o capítulo várias vezes nos próximos meses. Aos poucos, as situações de vergonha e humilhação que viveu virão à sua lembrança. Dê-se o tempo necessário para reconhecer essa ferida em você.

As características e os comportamentos mencionados neste capítulo só estão presentes quando uma pessoa veste a máscara de masoquista para evitar viver a humilhação. Conforme a gravidade da ferida e a intensidade da dor, essa máscara pode ser usada alguns minutos por semana ou praticamente o tempo todo.

CARACTERÍSTICAS DA FERIDA DA
HUMILHAÇÃO

DESPERTAR DA FERIDA: Entre 1 e 3 anos de idade, com o genitor responsável por seu desenvolvimento físico, em geral a mãe. Falta de liberdade. Sentir-se humilhado pelo controle desse genitor.

MÁSCARA: Masoquista.

CORPO: Gordo, arredondado, estatura baixa, pescoço largo e inchado, tensões no pescoço, na garganta, nos maxilares e na pélvis. Rosto redondo, franco.

OLHOS: Grandes, arregalados; abertos e inocentes como os de uma criança.

VOCABULÁRIO: "Ser digno", "ser indigno", "pequeno", "grande".

CARÁTER: Sente vergonha de si mesmo e dos outros ou medo de causar vergonha. Não gosta de ir muito depressa. Conhece suas necessidades, mas não as escuta. Carrega muito peso nas costas. Controla-se para evitar a vergonha. Julga-se sujo, sem coração, porco ou menor do que os outros. Dependente. Dá um jeito de não ser livre, pois "ser livre" significa "ilimitado". Se não tiver limites, tem medo de se exceder. Maternal. Hipersensível. Castiga-se julgando castigar o outro. Quer ser digno. Sente nojo. Vergonha no âmbito sexual. Não escuta suas necessidades sexuais. Compensa e se recompensa por meio da comida.

MAIOR MEDO: Liberdade.

ALIMENTAÇÃO: Gosta de alimentos ricos em gordura. Bulimia. Ingere várias pequenas porções. Vergonha de comprar ou comer gulodices.

DOENÇAS POSSÍVEIS: Coluna • ombros • garganta • angina • laringite • problemas respiratórios • pernas • pés • varizes • entorses • fraturas • fígado • tireoide • comichões na pele • hipoglicemia • diabetes • coração.

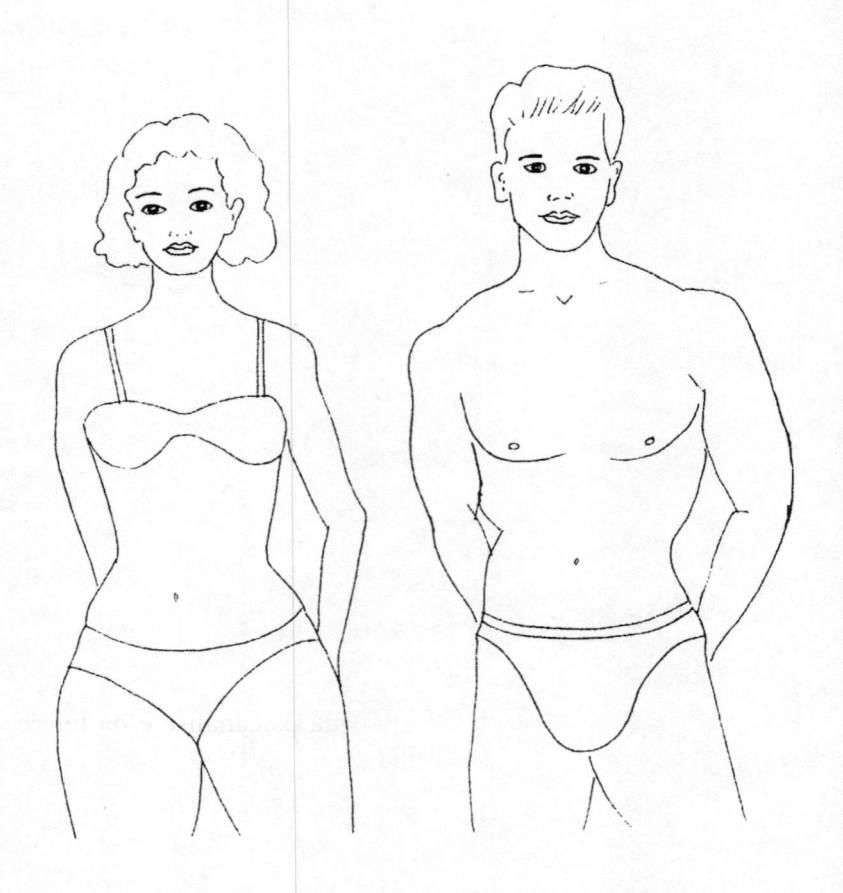

ASPECTO FÍSICO DO CONTROLADOR
(FERIDA DA TRAIÇÃO)

CAPÍTULO 5
A TRAIÇÃO

É possível trair, ou sofrer uma traição, de diversas formas. Segundo o dicionário, trair significa "ser infiel a", "abandonar traiçoeiramente" ou "delatar". O termo mais importante que se associa à traição é o seu oposto, a "fidelidade". Ser fiel é cumprir seus compromissos, ser leal e devotado. Podemos confiar numa pessoa fiel. Quando a confiança é destruída, podemos ser vítimas da traição.

Essa ferida é despertada entre os 2 e os 4 anos de idade, no momento em que a energia sexual se desenvolve, engendrando assim o complexo de Édipo. Essa **ferida é vivida com o genitor do sexo oposto**. A alma que quer trabalhar essa ferida atrai para si um genitor com quem terá uma forte conexão de amor e estabelecerá uma grande atração mútua, logo, um forte complexo de Édipo.

Segundo Sigmund Freud, criador da psicanálise e da teoria do complexo de Édipo, todos nós vivemos esse complexo, mas em diferentes graus. Toda criança, sobretudo entre os 2 e os 6 anos, apaixona-se pelo genitor do sexo oposto ou pela pessoa que desempenha esse papel, pois é nessa idade que sua energia sexual se desenvolve. Daí em diante a criança passa a lidar com sua força vital, sua força sexual, a que representa sua capacidade de criar.

É natural que, ao nascer, o bebê grude na mãe e tenha uma enorme necessidade de sua atenção e de seus cuidados. Mas a mãe deve seguir com suas atividades cotidianas e cuidar dos outros membros da família também, como fazia antes da chegada do bebê. Se ela se curva a todos os seus caprichos a ponto de se tornar sua escrava, a criança começa a achar que pode substituir o pai e satisfazer a mãe sozinha. Nesse caso, segundo o Dr. Freud, a criança não passará pela fase edipiana essencial ao seu desenvolvimento, o que lhe será muito prejudicial psicológica e sexualmente quando adulta.

Atravessar bem a fase edipiana significa que a criança foi capaz de reconhecer que o pai foi essencial em sua criação. Mesmo que ele não esteja presente, a mãe deve fazer a criança perceber que esse pai existe e que é tão importante quanto ela própria. Assim que a criança começa a compreender que houve a união dos dois sexos para concebê-la, ela desenvolve o interesse pelo sexo oposto. Desenvolve então um desejo inconsciente de fazer um bebê com o genitor do sexo oposto. Ao mesmo tempo, é seu poder de criação que se desenvolve. Isso explica o comportamento das meninas que tentam seduzir o pai e dos meninos, a mãe. Eles fazem de tudo para obter o afeto do genitor do sexo oposto. E vão tentar protegê-lo apesar da decepção de não receber a atenção desejada. Quando o genitor do mesmo sexo da criança magoa o do sexo oposto, a criança vivencia essa mágoa e pode chegar a desejar a morte do genitor que ela vê como vilão.

Infelizmente, na maior parte do tempo o complexo de Édipo é mal vivenciado porque a mãe é possessiva demais em relação ao filho e o pai em relação à filha. Quanto mais desvalorizado o pai, mais difícil resolver o complexo de Édipo. Observei que aqueles que são vítimas de traição não resolveram seu complexo de Édipo quando jovens. Isso significa que seu apego ao genitor do sexo oposto é muito maior, o que mais tarde afetará suas relações afetivas e sexuais. Eles tenderão a compará-lo o tempo todo ao seu parceiro ou criarão expectativas irreais a respeito de seu companheiro por causa do que não receberam do pai ou da mãe. No momento do ato sexual, essas pessoas sentirão mais dificuldade de se entregar completamente, pois temerão ser enganadas pelo outro.

A alma que encarna com o objetivo de curar a ferida da traição escolhe pais que utilizam a sedução com a criança e que são mais centrados em si mesmos. Esse tipo de pai e mãe faz com que a criança sinta que eles precisam dela, e tudo que a criança quer é que o genitor do sexo oposto se sinta bem. Ela tenta por todos os meios ser especial para ele. Um homem que sofre da ferida da traição me contou que, quando criança, sua mãe e suas irmãs o valorizavam dizendo que só ele conseguia deixar os sapatos brilhando quando os engraxava ou o chão da casa limpíssimo quando o varria. Portanto, ao executar essas duas tarefas ele se sentia especial. Ele não compreendia que era manipulado pela sedução. Este é um exemplo que demonstra como é possível vivenciar inconscientemente a traição quando jovem.

A criança se sente traída pelo genitor do sexo oposto sempre que este não cumpre uma promessa ou trai sua confiança. Ela vivencia essa traição principalmente em sua conexão amorosa ou sexual. Por exemplo, uma menina experimenta a traição sempre que percebe que seu pai se sente traído pela sua mãe. É como se ele a estivesse trocando. Um sentimento de traição pode ser igualmente experimentado quando a menina é ignorada pelo pai depois da chegada de um bebê menino.

Quando a criança começa a viver experiências de traição, cria para si uma máscara para se proteger, como no caso das outras feridas. Essa máscara é a do *controlador*. O tipo de controle que ele exerce não é motivado pela mesma razão que o controle exercido pelo masoquista. O masoquista controla para não ter vergonha de si mesmo ou para não causar vergonha a alguém, ao passo que o controlador age para garantir que os compromissos que assumiu sejam respeitados e para ser fiel e responsável, de maneira a se assegurar que os outros cumpram igualmente os seus compromissos.

O controlador cria para si um corpo que transmite força e poder e que parece dizer: "Sou responsável, podem confiar em mim." Podemos reconhecer o homem controlador pelos ombros fortes, mais largos que os quadris. Às vezes essa diferença entre ombros e quadris não é tão grande, mas, como eu disse num capítulo anterior, confie em sua intuição. Quando você tiver a sensação de que a parte de cima do corpo de alguém emana mais energia, provavelmente essa pessoa é vítima da traição. Em contrapartida, se você vir um homem com ombros largos, bíceps vigorosos e peito estufado usando uma camiseta justa para exibir os músculos, pode apostar que esse homem tem uma ferida da traição mais grave.

De maneira geral, as pessoas portadoras da máscara do controlador conquistam seu lugar e são muito atraentes. Parece que algo nelas sempre diz "olhe para mim". Também costumam ter alguns quilos a mais, mas não se pode dizer que sejam gordas. São qualificadas como pessoas *fortes*. Não parecem gordas vistas de costas. Entretanto, podem ter uma barriga proeminente. É uma maneira de mostrar força – os orientais chamam isso de *força do Hara*.

Quero deixar claro que o ganho de peso de quem quer que seja está sempre ligado a uma parte mental dessa pessoa que julga não ocupar seu devido lugar no mundo. Portanto, o excesso de peso não significa necessariamente a ferida da humilhação explicada no capítulo anterior. Para o masoquista, o peso é um meio adicional de se sentir humilhado. No caso das outras feridas, engordar tem a ver com o desejo de ocupar mais espaço. Observe que o escapista e o dependente, que são muito esguios, não querem ocupar mais espaço. Isso ajuda o escapista a se tornar menos visível e o dependente a parecer mais fraco, logo, a conseguir ajuda.

Quando o controlador olha para uma pessoa, ele tem o dom de fazê-la sentir-se especial, importante. Seu olhar é intenso e sedutor. A intensidade de seu olhar o ajuda a perceber o que acontece à sua volta. O controlador também usa muito os olhos para manter o outro a distância ou para intimidá-lo. Dessa forma, protege-se, dissimulando sua fraqueza, sua vulnerabilidade ou sua impotência.

Assim como acontece com todas as feridas, quando uma pessoa possui apenas uma das características mencionadas, sua ferida é menos grave. Reconhecemos o domínio em que uma pessoa é controladora e tem medo de ser traída pela parte do corpo que indica força ou poder. Por exemplo, quando a mulher ou o homem tem quadris largos e barriga proeminente, como uma boa proteção, isso indica raiva do sexo oposto, sobretudo no campo sexual. É provável que a pessoa tenha se sentido assediada sexualmente quando mais jovem ou tenha sido vítima de abuso sexual, o que explica essa forma de proteção.

Se você se reconhece na descrição física do controlador mas é uma pessoa introvertida, talvez seja ainda mais difícil se identificar nos comportamentos citados a seguir, pois o controle que você exerce é dissimulado, logo, muito mais difícil de aflorar à consciência. Se for esse o caso, as pessoas que o conhecem podem lhe dizer, depois de ler o trecho a seguir, se você usa a máscara de controlador. Quando a pessoa é mais extrovertida, seu controle é mais aparente e fácil de constatar.

Quanto ao comportamento e às atitudes do controlador, a força é uma característica comum a todas as pessoas que têm uma ferida da traição. É importante para elas exibir força e, principalmente, coragem. Muito exigentes consigo mesmas, querem mostrar aos outros do que são capazes. Percebem todo ato de covardia (portanto, falta de coragem) como uma traição. Recriminam-se energicamente quando desistem de um projeto por medo de ir até o fim. Têm muita dificuldade de aceitar a fraqueza dos outros. Como sentem dificuldade de aceitar qualquer forma de traição, proveniente delas mesmas ou dos demais, se esforçam ao máximo para ser pessoas responsáveis, fortes, especiais e importantes. Dessa forma, o controlador satisfaz seu ego, que não suporta perceber que ele próprio seja capaz de cometer uma traição.

Não se esqueça de que todas as nossas feridas são expostas para nos lembrar de que, se os outros nos fazem sofrer, é porque fazemos a mesma coisa a eles ou a nós mesmos. Isso pode não ser compreendido nem aceito pelo ego. Se você se reconhece na máscara do controlador e sente certa resistência ao ler estas linhas, é o seu ego que resiste, e não seu coração.

Entre as cinco feridas, o controlador é o que cria mais expectativas com relação aos outros, pois gosta de prever e controlar tudo. Mencionei num capítulo anterior que o dependente também cria muitas expectativas com relação aos demais, mas são expectativas referentes à sua necessidade de ser ajudado e apoiado, devido à ferida do abandono. Assim, ele se sente importante. As expectativas do controlador, por sua vez, têm como objetivo verificar se os outros estão fazendo direito o que devem fazer e se são confiáveis. O controlador também tem grande habilidade para adivinhar as expectativas alheias. Em geral, quando diz ou responde alguma coisa, é em função das expectativas do outro, o que não significa, porém, que ele tenha intenção de fazer realmente o que acaba de dizer.

O controlador tem uma personalidade forte. Afirma suas crenças com veemência e espera que concordem com elas. Forma rapidamente uma opinião sobre determinada pessoa ou situação e tem convicção de que a razão está do seu lado. Afirma seu ponto de vista de maneira categórica e quer, a todo preço, convencer os demais. Diz com frequência "Você entendeu?" para se certificar de que foi bem compreendido. Acredita que, quando alguém o compreende, é porque está de acordo com ele, o que, claro, não é verdade. Perguntei a várias pessoas controladoras se elas se davam conta de que, ao exprimir sua opinião, tentavam me convencer de algo – mas elas não tinham notado que faziam isso.

Toda máscara tem um ponto em comum: no momento em que a pessoa a veste, ela não tem consciência de que o faz. Aqueles que a cercam, em contrapartida, veem com mais facilidade a máscara usada por ela.

A pessoa controladora toma cuidado para não se colocar em situações de confronto em que não teria o controle. Quando se vê rodeada de pessoas que considera rápidas e fortes, ela se retira, temendo não estar à altura.

O controlador é veloz em suas ações. Compreende ou quer compreender tudo prontamente, afligindo-se quando levam muito tempo para explicar ou contar alguma coisa. Interrompe com frequência e responde antes mesmo que seu interlocutor tenha terminado. Em contrapartida, se alguém ousa lhe dar o mesmo tratamento, responde irritado: "Deixe-me terminar, ainda não concluí!"

Talentoso e ágil, ele não tem a mínima paciência com os lentos e precisa se esforçar para não se estressar com eles. É muito comum ele tentar controlar os outros nesse tipo de situação. Por exemplo, seguir de automóvel outro motorista que dirige lentamente o deixa impaciente e furioso. O pai controlador, por sua vez, exige que seus filhos sejam rápidos e aprendam depressa. O mesmo se dá no que diz respeito a si próprio. Quando a coisa não anda no ritmo que ele quer, e principalmente quando é defrontado com algum imprevisto, ele se enfurece. Adora ser o primeiro a terminar o que quer que esteja fazendo, em especial quando se trata de uma competição. Terminar em primeiro lugar é ainda mais importante do que fazer direito. Às vezes chega a mudar as regras do jogo para que o vento sopre a seu favor.

Quando os acontecimentos não correm segundo suas expectativas, ele se torna agressivo. Mas não se vê como uma pessoa agressiva; enxerga-se na verdade como alguém que marca presença, que é forte e não se deixa engabelar. Dos cinco tipos de personalidade, o controlador é o de humor mais instável. Num momento, pode transbordar amor e atenção e, no minuto seguinte, perder as estribeiras por causa de um pequeno incidente. Seus amigos e parentes não sabem como agir. Algumas pessoas podem vivenciar esse tipo de atitude como traição.

O controlador deve, então, trabalhar a paciência e a tolerância, sobretudo quando uma situação o impede de fazer as coisas à sua maneira e segundo suas expectativas. Por exemplo, se estiver doente, ele fará de tudo para se curar o mais rápido possível a fim de poder continuar a cuidar de seus afazeres. Quando os de seu convívio adoecem, ele não tem paciência.

O controlador é levado a "futurizar", isto é, a tentar prever o futuro. Sua mente é muito ativa. Quanto mais intensa a ferida, mais ele quer ter o controle de tudo para evitar ser vítima de traição. Os principais inconvenientes dessa atitude são o desejo de que tudo aconteça como ele previu e a criação de um monte de expectativas com relação ao futuro. Essa atitude o impede de viver bem o aqui e agora. Por exemplo, quando está no trabalho fica planejando as férias, mas, quando estas chegam e ele embarca para longe, passa a programar seu retorno à labuta ou se preocupa com o que está acontecendo em casa durante sua ausência. Em geral, ele fica mais ansioso por verificar se tudo se dará como ele previu do que por desfrutar do momento presente.

O controlador gosta de chegar com antecedência para garantir o controle de tudo. Detesta se atrasar e não tolera as pessoas que se atrasam, embora isso lhe dê outra oportunidade de controlá-las, tentando mudá-las. Fica aflito quando termina uma tarefa fora do prazo ou alguém lhe entrega um trabalho com atraso.

Essa dificuldade é vivida, em especial, com as pessoas do sexo oposto, com quem ele se enerva mais rapidamente. Como é exigente, é comum ele não conceder a si mesmo ou aos outros tempo suficiente para executar determinado trabalho.

Para ele, é tão difícil delegar uma tarefa quanto confiar no outro para realizá-la. Será levado a verificar, vezes sem conta, se aquilo está sendo feito conforme suas expectativas. É igualmente difícil, para o controlador, mostrar a alguém como fazer algo e esse alguém demorar para aprender. Ele não tem tempo a perder. Então, quando delega, são atividades fáceis ou tarefas pelas quais não será criticado se não forem bem-feitas. Eis por que o controlador precisa ser rápido: ele faz quase tudo sozinho; quando isso não acontece, ele se dedica a vigiar os que o ajudam.

Ele é mais exigente com os outros do que consigo mesmo. Tem a tendência de confiar com mais facilidade nas pessoas do mesmo sexo que ele e de vigiar e controlar mais as do sexo oposto. Ressalto que a ferida da traição é despertada no controlador sempre que ele está na presença de uma pessoa relapsa com seus deveres.

O controlador, julgando-se trabalhador e responsável, não aceita o ócio. Segundo ele, uma pessoa só tem direito ao ócio *depois* que executar todas as tarefas pelas quais é responsável. Ver uma pessoa sem fazer nada, sobretudo do sexo oposto, lhe dá nos nervos. Qualifica-a de "preguiçosa" e desconfia dela. Ele sempre dá um jeito para que todos saibam de tudo que realizou, como procedeu e quanto fez; assim, veem como é responsável e como podem confiar nele. O controlador detesta não ter a confiança dos demais. Considera-se tão empenhado e talentoso que acredita que todos devem sempre reportar-se a ele. No entanto, não enxerga sua própria dificuldade de confiar nos outros.

O controlador resiste a se abrir com quem quer que seja, pois teme que um dia suas confidências sejam usadas contra ele. Precisa confiar de verdade em alguém para que este se torne seu confidente. Em contrapartida, é o primeiro a contar aquilo que lhe confidenciaram, porque acredita que tem uma boa razão para fazê-lo. Gosta de acrescentar uma pimentinha ao que os outros dizem ou fazem. Por exemplo, quando uma mãe repreende o filho, o pai controlador, passando ao lado deles, reforça: "Você ouviu o que sua mãe acabou de falar?" O assunto não é da sua conta, mas mesmo assim ele mete o bedelho. Se essa situação acontece com uma menina, há fortes chances de que ela vivencie isso como uma traição, sobretudo quando é a queridinha do pai e este não sai em sua defesa quando a mãe a castiga. Em geral, o controlador gosta de ter a última palavra, e é por isso que sempre tem alguma coisa a acrescentar a tudo... ou a quase tudo.

Interfere exageradamente nos assuntos alheios. Como é rápido em perceber as coisas que se passam à sua volta e se julga mais forte do que os que estão ao seu redor, costuma se encarregar de tudo. Acha que deve ajudá-los a organizar suas vidas. Não compreende que age assim para ter o controle. Cuidando dos outros, pode controlar o que eles vão fazer e também como e quando farão. Quando o controlador se ocupa dos problemas alheios, ele tem a sensação de que os outros são mais fracos do que ele. Esta é uma maneira disfarçada de exibir a própria força. Enquanto não acreditar de verdade em sua força, fará de tudo para tentar demonstrá-la aos outros.

Por outro lado, o controlador é muito sensível. Mas essa sensibilidade não aparece, pois ele está ocupado demais em mostrar sua força. Como já vimos, o dependente cuida dos outros para garantir ajuda e apoio. O masoquista age assim para ser uma boa pessoa e não envergonhar ninguém. O controlador, por sua vez, cuida dos problemas dos outros para não ser vítima de traição ou para se certificar de que esses indivíduos corresponderão às suas expectativas. Se você se vê como uma pessoa que se julga responsável por dar um jeito na vida de todos aqueles a quem ama, sugiro que analise detidamente sua motivação.

O ego do controlador prevalece facilmente quando alguém o repreende, pois ele não gosta de ser vigiado, em especial por outro controlador. Experimenta grande inquietação diante de pessoas autoritárias, pois julga que elas querem controlá-lo. Justifica-se e sempre encontra uma boa razão para fazer as coisas à sua maneira. Admite com bastante dificuldade seus medos e recusa-se a falar de suas fraquezas. Desde criança gosta de fazer as coisas sozinho. Ele quer fazer tudo do seu jeito, mas adora que os outros o reconheçam, o felicitem e, principalmente, notem o que fez.

Ele evita mostrar sua vulnerabilidade, temendo que outra pessoa se aproveite disso e o controle. Gosta de se mostrar impetuoso, corajoso e forte sempre que possível.

Costuma se guiar pela própria cabeça. Diz aos outros o que querem ouvir, mas só faz o que quer. Eis um exemplo: um dia, meu marido e eu contratamos um homem do tipo controlador para fazer uns reparos lá em casa. Expliquei-lhe o que queria que fizesse e por onde gostaria que começasse. Percebi que ele não estava concordando nem gostando que eu lhe dissesse o que fazer, uma vez que era ele o especialista. Tentou me convencer a adotar sua maneira de ver as coisas, sem levar em conta as minhas prioridades. Respondi que compreendia seu ponto de vista, mas que, considerando nossas necessidades, meu marido e eu preferíamos outra coisa. "Está bem!", respondeu ele. Dois dias mais tarde, no entanto, descobri que ele tinha feito tudo do jeito dele. Quando lhe comuniquei meu desagrado, pois não fizera nada como eu havia pedido, suas justificativas já estavam todas prontas. Ele deu um jeito de ter a última palavra, pois já era tarde demais para refazer tudo.

Mencionei anteriormente que o controlador não gosta das pessoas autoritárias, mas ele não se dá conta do número de ocasiões em que dá ordens e decide pelos outros. Acho muito curioso observar um controlador ocupando um cargo de direção ou vigilância num lugar público como um restaurante, um hospital, uma loja, etc. Ele quer saber tudo que se passa; dá sua opinião sem que esta seja solicitada; não consegue se abster de acrescentar um comentário ao que os outros fazem ou dizem.

Certo dia, num restaurante, observei um garçom controlador dar ordens a outro garçom que tinha todas as características do escapista. O controlador dizia sem parar ao escapista como ele devia servir e o escapista erguia os olhos para o teto em sinal de irritação. Eu acabara de transmitir minhas impressões ao meu marido, dizendo-lhe que aqueles dois eram bem capazes de se engalfinhar, quando o jovem escapista, que nos servia, dirigiu-se à nossa mesa e começou a nos contar como a situação estava difícil para ele e que planejava pedir demissão em breve.

Conhecendo essas feridas, não me admirei ao ouvir tais declarações, pois um escapista que se sente muito rejeitado prefere fugir a enfrentar a situação. O mais interessante nessa história é que o garçom controlador não era sequer seu chefe ou superior. Simplesmente julgara por bem transformar o outro em um profissional tão bom quanto ele próprio. O controlador parecia dominar bem a clientela, se mostrava muito orgulhoso com seu trabalho e não se dava conta de sua atitude autoritária. Estava mais ocupado em mostrar ao patrão que era um bom funcionário e que podiam confiar nele em qualquer situação. Do seu ponto de vista, o outro garçom deveria lhe ser grato pela ajuda que ele oferecia. O que chamamos *controle*, o controlador chama de *ajuda*.

Como meu marido e eu comemos muito em restaurantes quando viajamos, acho bastante útil conhecer os diferentes tipos de ferida, pois isso me ajuda a saber a maneira de abordar os garções. Por exemplo, sei que se eu fizer uma observação desagradável a um garçom controlador, ou lhe comunicar um erro que cometeu, ele começará imediatamente a se justificar, podendo inclusive mentir para salvar sua reputação e não fazer papel de tolo. Se minha abordagem for controladora, não obtenho dele o que quero. Ele precisa sentir que faz as coisas porque quer, e não porque lhe é imposto. Vivi certas experiências em que o garçom me fazia esperar de propósito só para mostrar quem teria a última palavra.

Quando alguém tenta convencer o controlador de uma ideia nova, ele em geral se mostra cético. O mais difícil para ele é ser pego de surpresa, não ter tempo de se preparar. Despreparado, ele corre o risco de não deter o controle e, por conseguinte, ser controlado.

Como, para ele, o fator surpresa é uma emoção difícil de vivenciar, sua primeira reação é retirar-se e ficar em estado de alerta. Ele precisa pensar e estar preparado para toda e qualquer eventualidade. Não gosta que os outros mudem de ideia e ele se veja numa situação inesperada. Mas, quando é ele quem decide, se dá o direito de mudar de ideia a seu bel-prazer.

Uma mulher com ferida da traição me contou que quando era jovem sempre tentava antecipar as reações do pai. Quando ela esperava ser repreendida por ter feito alguma tolice, ele não fazia nada. Quando supunha que ia ser elogiada por suas boas notas escolares, ele brigava sem que ela soubesse de onde vinha sua raiva. Esse exemplo ilustra bem o fato de que sua ferida da traição atraía para ela esse tipo de comportamento por parte do pai, assim como o próprio pai adotava essa postura. Era como se ele tivesse um prazer maligno em pegá-la de surpresa, não correspondendo às expectativas dela, que ele parecia conhecer antecipadamente. Todo tipo de atitude imprevisível da parte do genitor costuma criar um sentimento de traição na criança de tipo controlador.

Muito desconfiado, o controlador é rápido em tachar os outros de hipócritas. No entanto, com seu comportamento manipulador, é igualmente hipócrita. Por exemplo, quando as coisas não correm como ele quer, fica furioso e fala mal das pessoas pelas costas para quem quiser ouvir. Ele não percebe, nesse momento, que está agindo tão mal quanto aqueles a quem critica.

O controlador tem horror a que mintam para ele. "Prefiro que me batam a que mintam para mim", costuma dizer. Ele próprio mente com frequência, mas acredita que, no seu caso, as mentiras, geralmente mais sutis, são necessárias e têm um propósito. Por exemplo, mencionei anteriormente que ele percebe com facilidade as expectativas dos outros e lhes diz o que querem ouvir, fazendo mil promessas. Infelizmente, nem sempre consegue cumprir com sua palavra, pois se compromete sem verificar se pode mesmo fazer o que prometeu. Arranja então todo tipo de desculpas, chegando inclusive a dizer que não se lembra de ter se comprometido. Para os outros, isso é recebido como uma mentira e vivenciado como uma traição. O controlador, por sua vez, não vê mentira em tal comportamento. Ele conseguirá explicar essa atitude do seu jeito peculiar. Paradoxalmente, tem dificuldade de aceitar o fato de alguém não acreditar nele. Se não confiam nele, acha que está sendo traído. É para evitar esse sentimento doloroso de traição que ele faz de tudo para que confiem nele.

Em minhas oficinas, um grande número de mulheres se queixa do marido que as manipula e as domina, mentindo constantemente. Pude constatar que a maioria desses homens é formada por controladores. Não estou dizendo que todas as pessoas controladoras mentem, mas isso parece mais provável de acontecer com as que têm esse perfil. Se você se reconhece nessa ferida, aconselho-o a ficar bem atento, pois é comum o mentiroso não se dar conta de que mente. Você pode inclusive perguntar aos que o conhecem bem se têm a impressão de que você às vezes mente.

O controlador tampouco tolera as pessoas que trapaceiam. Porém, quando ele mesmo trapaceia, jogando cartas, por exemplo, diz que é para fazer rir ou para ver se notariam. Se trapaceia em sua declaração de imposto de renda, diz que todo mundo faz a mesma coisa.

Além disso, o controlador não gosta de se ver numa situação em que deva denunciar os erros de alguém, como um colega de trabalho, por exemplo. Ele sabe que, quando alguém faz a mesma coisa com ele, sente isso como uma traição. Por isso não gosta de fazer a mesma coisa com os outros. Há alguns anos, em minha empresa Écoute Ton Corps, uma funcionária recém-contratada passava, por telefone, informações erradas aos clientes. Aquilo aconteceu durante várias semanas até outra funcionária me relatar o caso. Fui então conversar com o rapaz que trabalhava ao lado dela para saber se havia percebido algo. Ele me confessou que sabia desde o início, mas que *dedurar* não fazia parte de suas tarefas. Não é difícil o leitor imaginar que minha parte controladora, que sempre prezou a reputação da empresa, ficou furiosa.

Com efeito, a reputação do controlador é muito importante. Quando alguém faz ou diz alguma coisa capaz de afetar a boa reputação que tenta manter, ele se sente insultado, pois vê isso como uma grave traição. Será capaz de mentir para obter ou salvaguardar sua imagem. Para ele, ser considerado uma pessoa confiável, responsável e que cuida bem dos negócios é o mais importante. Quando fala de si, não se mostra completamente. Só revela o que é bom para sua reputação.

Hesita muito em ser avalista de alguém num empréstimo financeiro, pois teme por sua reputação se o outro não pagar. Se, após muita reflexão, decide ser fiador de outra pessoa e esta não respeita seu compromisso, o controlador vive o episódio como uma traição grave. Também é do tipo que não gosta de se endividar e, quando isso acontece, paga o mais rapidamente possível para manter seu nome "limpo".

Pude notar que os pais controladores agem mais em função de manter a própria reputação do que visando a felicidade dos filhos. Tentarão convencê-los de que é para seu bem, mas eles não são tolos. Sabem quando os pais pensam mais em si mesmos. O pai controlador quer decidir por eles, enquanto aquele que pensa verdadeiramente na felicidade dos filhos procura antes saber o que os faria felizes.

As pessoas controladoras não gostam de se ver numa situação em que ficam sem respostas. É por essa razão que prezam o conhecimento e gostam de aprender sobre muitos assuntos. Quando alguém lhes faz uma pergunta, tentam achar uma resposta mesmo correndo o risco de dizer uma tolice, pois para elas é muito difícil responder "Não sei". Quando alguém diz "Eu não sabia", o controlador julga ser quase um dever replicar "Pois eu sabia. Não me lembro de onde li isso, mas eu sabia" ou "Isso não me é estranho". Infelizmente nem sempre é verdade. *Eu já sabia* é uma expressão muito usada pelo controlador.

Ele se sente ofendido quando se intrometem em seus assuntos. Se uma pessoa intervém ou responde em seu lugar sente-se igualmente ofendido, pois acha que o outro não confia em sua capacidade. Ele não se dá conta de que, volta e meia, intervém e fala pelos outros. Por exemplo, um homem casado com uma mulher dependente (ferida do abandono) estará sempre lhe dizendo como e por que fazer isso ou aquilo. Infelizmente, esse tipo de mulher sofre em silêncio.

Devo acrescentar que, no relacionamento de um casal, quando um dos parceiros é controlador e o outro, dependente, o primeiro precisa da fraqueza e da dependência do outro. Ele se julga forte porque controla o parceiro, mas, na realidade, o que se estabelece é apenas outra forma de dependência. Quando dois controladores moram juntos, cria-se uma relação de disputa por poder.

Todos os exemplos citados são vividos como uma traição por um controlador. Se você está surpreso com isso, é porque sua definição da palavra "traição" é muito limitada. Trabalhei anos a fio para chegar a essa percepção. Eu via claramente no meu corpo os traços da ferida da traição, mas não conseguia detectar a relação entre o que se passava na minha vida e essa ferida. Minha principal dificuldade era fazer o elo com meu pai, com quem eu vivia um intenso complexo de Édipo. Adorava-o de tal forma que não via como poderia me sentir traída por ele e, principalmente, não admitia que podia detestá-lo.

Finalmente, vários anos depois, consegui admitir que ele não correspondia às minhas expectativas de *homem responsável*. Venho de uma família em que as mulheres costumam tomar as decisões e os homens as seguem. Descobri esse comportamento tanto nos meus pais como em meus tios e tias. Concluí que as mulheres assumiam todas as responsabilidades, pois eram mais fortes e capazes. Os homens, portanto, eram fracos, já que não controlavam nada. Na realidade, minha concepção era falsa, pois não é porque uma pessoa não toma decisões que ela é fraca ou irresponsável. Também fui obrigada a redefinir as palavras "responsabilidade" e "compromisso".

Quando me dei um tempo para repensar o que acontecera na minha infância, compreendi que minha mãe tomava a maior parte das decisões, mas que meu pai cumpria todos os compromissos que assumia com ela, bem como suas responsabilidades. Quando uma decisão tomada por minha mãe tinha resultados ruins, meu pai assumia as consequências daquilo na mesma medida que ela. Logo, era um homem responsável.

Para compreender a noção de responsabilidade, atraí para mim um primeiro marido e dois filhos que eu considerava irresponsáveis e que tentei controlar durante muito tempo, até perceber que eu tinha essa opinião geral sobre todos os homens. Isso explica por que eu tinha sempre um pé atrás com o sexo oposto – aliás, como todo controlador. Para me ajudar a curar minha ferida da traição, atraí para mim um segundo marido, ele também portador dessa ferida. Graças a ele, pude verificar meus progressos e reduzir minha ferida. Constatei então uma grande diferença entre meu comportamento com ele e o que eu tinha com meu ex-companheiro.

O controlador também tem medo de compromisso, o que resulta de um temor ainda maior: o medo de faltar com o compromisso. Ele acha que descumprir o prometido é sinônimo de traição. Julga-se então obrigado a manter a palavra e, quando assume muitos compromissos, sente-se amarrado. Portanto, para não faltar com a palavra, ele prefere não se comprometer. Tenho um conhecido que sempre que precisa marcar algo, exige que a outra pessoa envolvida lhe telefone para combinar, apenas por medo de esquecer de telefonar. Mas se a outra pessoa esquece de ligar, ele poderá entrar em contato apenas para dar bronca. Ele não compreende que exige demais dos outros. Observando-o, percebo a quantidade de energia necessária para controlar tudo dessa maneira. Esse comportamento só o estimula a alimentar sua ferida da traição.

> Pessoas portadoras da ferida da traição sofreram com o fato de o genitor do sexo oposto não cumprir seu compromisso de acordo com as expectativas que a criança tinha de um pai ideal.

Conheço um senhor, hoje com mais de 60 anos, que na adolescência morava sozinho com a mãe, que saía com todos os homens que não hesitassem em gastar muito dinheiro com ela. Ele tinha 15 anos quando a mãe foi embora com aquele que se dispôs a lhe oferecer uma fortuna. Ela colocou o filho num internato, o que o fez sofrer de abandono e, sobretudo, traição. Adulto, sua maneira de atrair as mulheres era gastar dinheiro com elas e não se comprometer efetivamente em nenhuma relação. Julgava assim vingar-se da mãe, mas, na realidade, ele precisava curar a mesma ferida que aqueles homens que ele julgava seduzirem sua mãe com dinheiro.

Em minhas oficinas, muitas participantes relataram que, ao engravidarem de um homem que tinha medo de se comprometer, ele insistia que fizessem um aborto. Esse tipo de incidente, nas portadoras da ferida da traição, traz uma nova camada à ferida. É muito duro aceitar a ideia de que o parceiro se nega a assumir a responsabilidade pela criança que quer nascer.

Mencionei anteriormente que o controlador reluta em confiar em alguém. No entanto, ele demonstra mais confiança quando não há interesse sexual envolvido. Ele é muito sedutor, mas sua ferida é tão grave que ele prefere que as pessoas do sexo oposto sejam amigos em vez de namorados. Sente-se mais confiante com amigos. Usa frequentemente a sedução para manipular os outros e, em geral, é muito bem-sucedido nisso. O controlador será, por exemplo, o genro preferido da sogra, pois a terá encantado com belas palavras. Em contrapartida, ficará ressabiado diante de outro sedutor. Ele sabe de imediato quando outro tenta seduzi-lo e não se deixa levar. Ao falar de sedução, não me refiro necessariamente à sedução na esfera sexual; ele pode utilizá-la em todos os domínios de sua vida.

O maior medo do controlador é a *dissociação*. É o tipo de pessoa que tem dificuldade de aceitar, por exemplo, um divórcio. Para o controlador, essa é uma grave derrota. Se a separação é proposta por ele, é porque tem medo de trair o outro e ser acusado de traidor. Se vem do outro, ele o acusará de traição. Além disso, uma separação evidencia que ele não teve o controle da situação. Entretanto, parece que são os controladores que vivem mais separações e rupturas. Se eles têm medo de se comprometer, é igualmente porque têm medo de se separar. Esse medo os leva a atrair relações amorosas em que o parceiro não queira se comprometer. É uma boa maneira de não enxergarem que são eles mesmos que não querem compromisso.

Quando dois controladores vivem juntos e a relação não vai bem, ambos adiam o momento de admitir que o melhor é se separarem. Para um controlador, estar dissociado significa sentir-se amputado ou isolado do outro. A propósito, a palavra "dissociado" é comum em seu vocabulário. Certa vez, uma mulher me contou que basta se desentender com o marido para se sentir cortada ao meio, desesperada, com medo de uma separação. Em tal situação, perde completamente a autoconfiança. Ela também sofre da ferida do abandono, o que redobra seu medo da separação.

Segundo minhas observações, a ferida do abandono se desenvolve, na maioria dos controladores, antes da ferida da traição. Os que decidem muito jovens não enxergar ou não aceitar o seu lado dependente encontram a força necessária para esconder sua ferida do abandono. É nesse momento que começam a cultivar uma máscara de controlador. Se olharmos bem essa pessoa, podemos ver a máscara de dependente em seus olhos (tristes ou caídos), em sua boca caída ou em alguma parte de seu corpo com pouco tônus.

É fácil imaginar a criancinha que, sentindo-se abandonada ou não recebendo atenção suficiente, decide seduzir seu genitor do sexo oposto a fim de chamar sua atenção e, acima de tudo, sentir-se apoiada por ele. A criança se convence de que é tão boazinha e adorável que o pai não precisa se preocupar com ela de uma maneira especial. Quanto mais tenta controlar o pai com essa atitude, mais expectativas ela cria. Quando suas expectativas não se realizam, ela vive a traição. Torna-se então cada vez mais controladora, veste uma couraça de força, julgando assim que não sofrerá outra traição ou abandono. É o lado controlador que incentiva o dependente a querer ser independente.

Em certas pessoas, a ferida do abandono predomina sobre a da traição, ao passo que em outras a máscara de controlador prevalece. O homem que desenvolve belos músculos graças à musculação (como mencionado no capítulo sobre a ferida do abandono), mas cujo corpo volta a ficar flácido quando ele para de fazer exercícios, é um bom exemplo de uma pessoa com ferida da traição e do abandono.

Se você se reconhece na descrição da máscara de controlador, mas não na de dependente, sugiro que não elimine tal possibilidade. Permaneça aberto à ideia de que também pode haver em si uma ferida do abandono. A ferida predominante no corpo é a que utilizamos com mais frequência no cotidiano.

Anos de observação me levaram a concluir que uma pessoa pode sofrer de abandono sem sofrer necessariamente de traição, mas aquela que sofre de traição também sofre de abandono. Além disso, notei que várias pessoas cujo corpo indicava uma ferida do abandono quando jovens começaram, com a idade, a desenvolver as características da ferida da traição. O oposto também pode acontecer. O corpo está sempre em transformação; ele nos indica o tempo todo o que acontece em nosso interior.

Você deve ter notado que há vários pontos em comum entre as pessoas que temem o abandono e aquelas que têm medo da traição. Além dos aspectos citados acima, ambos os tipos gostam de chamar atenção. O dependente faz isso para receber atenção e para que se ocupem dele, enquanto o controlador age assim para ter o domínio de uma situação, exibir sua força de caráter e impressionar. É comum vermos o tipo dependente em atores e cantores, mas encontramos o tipo controlador com mais frequência nos comediantes e humoristas, aqueles que gostam de fazer os outros rirem. Os dois tipos de caráter adoram ser o centro das atenções, mas por razões diferentes. O controlador costuma ter a reputação de ser uma pessoa *muito espaçosa*. Em geral, ele não gosta que seu parceiro, ou parceira, ocupe mais espaço do que ele.

Uma participante das minhas oficinas contou que, enquanto ela e o marido eram sócios nos negócios, tudo ia bem entre os dois. A partir do instante em que ela decidiu trabalhar por conta própria e fez melhores negócios do que ele, embora trabalhasse em outra área, a relação se deteriorou. Tornara-se uma relação de competição. O homem se sentia traído e a mulher se acusava de tê-lo abandonado.

Outra característica do controlador é sua acentuada dificuldade de fazer uma escolha quando acha que tal opção pode fazê-lo perder alguma coisa, pois ele não mais dominará a situação. Isso explica por que o controlador às vezes tem dificuldade de se decidir ou é acusado de refletir demais. Quando está seguro de si e no domínio do que está à sua volta, ele não hesita.

Essa dificuldade de se separar se manifesta igualmente no trabalho. Se ele administra o próprio empreendimento, pode se colocar numa situação difícil, num sério endividamento, por exemplo, antes de confessar que não consegue mais continuar. Como funcionário, o controlador costuma ocupar cargos de chefia. É sempre difícil para ele abandonar uma empresa. Mas também é muito difícil para ele aceitar que uma pessoa de sua confiança decida deixá-lo, e em geral isso lhe causa raiva e agressividade.

O controlador, que em geral tem alma de chefe, gosta de dirigir outras pessoas. Tem medo de parar de controlar, pois acha que, fazendo isso, não será mais um líder. Mas, na verdade, é justamente o contrário. Quando o controlador deixa de controlar e se limita a dirigir apenas, ele se torna um chefe bem melhor. Existe uma diferença entre controlar e dirigir. Controlar é conduzir, administrar ou governar sob a influência do medo. Dirigir significa a mesma coisa, mas excluindo-se o medo; é dar uma direção sem necessariamente querer que a outra pessoa chegue lá à nossa maneira. É possível ser um chefe e continuar a aprender coisas com os subordinados.

Sua alma de chefe às vezes o leva a liderar uma empresa, mas suas expectativas e o controle que ele quer exercer lhe dão muito estresse. Embora seja difícil para o controlador deixar as coisas seguirem seu rumo, é urgente e necessário que ele adote essa prática.

Outro grande medo do controlador é a *renegação*. Para ele, ser renegado significa ser traído. Ele não percebe o número de vezes que exclui os outros, eliminando-os de sua vida. Por exemplo, ele se negará a dar outra chance a um indivíduo em quem perdeu a confiança. Quando está com raiva, ou algo não acontece segundo suas expectativas, ele pode facilmente dar as costas a alguém no meio de uma conversa. Já mencionei que ele tem dificuldade com a covardia, a mentira e a hipocrisia. Ele afasta qualquer pessoa que se comporte assim. Perdi a conta das vezes em que ouvi pessoas controladoras dizerem: "Não quero mais ouvir saber de fulano." Elas não percebem que, com essa atitude, renegam os outros.

Como o controlador é sedutor, sua vida sexual só é satisfatória se for resultado de uma sedução. Quando a paixão dentro dele começa a se extinguir, ele dá um jeito para que a ideia de terminar a relação parta do outro. Assim, não será acusado de traição, embora se sinta mal por não ter conseguido controlar a situação.

A mulher controladora às vezes tem a impressão de ser dominada pelo homem e não aprecia isso. Gosta de fazer amor quando a iniciativa parte dela, quando decide se deixar seduzir ou ela própria tem vontade de cortejar o parceiro. O homem controlador também gosta de ter a iniciativa. Quando um controlador (homem ou mulher) deseja fazer amor e o outro recusa, ele se sente traído. Não consegue entender que o parceiro, que o ama, pode não estar com vontade de fazer sexo. Os problemas sexuais resultam principalmente de um apego excessivo ao genitor do sexo oposto e do complexo de Édipo não resolvido. O genitor do sexo oposto foi de tal forma idealizado que nenhum parceiro é capaz de corresponder às expectativas dessa pessoa. Apesar de seus problemas sexuais, constatei que aqueles que sofrem com a ferida da traição têm mais vontade de ter um amante. Não percebem a que ponto alimentam sua ferida ao terem esse desejo, seja em pensamento ou ação.

Logo, é comum haver um bloqueio na esfera sexual. Como eu disse no início deste capítulo, o tipo controlador desenvolve uma boa força sexual e, com os medos que cultiva ao longo dos anos, pode bloquear boa parte dessa energia. O controlador pode inclusive chegar a renegar completamente sua vida sexual, encontrando uma boa razão para justificar sua decisão.

Com base em tudo que foi dito neste capítulo, está claro que a ferida da traição afeta nossa maneira de nos comunicar. Os temores do controlador, que o impedem de se comunicar com clareza são: não conseguir convencer o outro; alguém mentir para ele ou ele passar por mentiroso; sentir raiva dos outros ou de si mesmo; abrir-se com alguém, mostrar sua vulnerabilidade ou passar por vulnerável; ser manipulado ou seduzido; ser obrigado a se comprometer.

No que se refere à alimentação, o controlador é levado a comer depressa, pois não tem tempo a perder. Quando está muito absorto em uma tarefa importante, pode facilmente se esquecer de comer. Diz inclusive que comida não é importante para ele. Em contrapartida, quando decide se alimentar, come muito, podendo até mesmo perder o controle e ingerir muito mais do que seu corpo necessita. Vários controladores acrescentam sal mesmo antes de provar a comida. Certificam-se de ter a última palavra a respeito de sua alimentação e, como fazem durante uma conversa, acrescentam sua pitada de sal.

Eis algumas enfermidades e doenças que podem se manifestar no controlador:

- *agorafobia*. A agorafobia vivida pelo controlador caracteriza--se mais pelo medo da loucura, ao passo que o portador da máscara de dependente tem medo da morte. Na verdade, a agorafobia é frequentemente diagnosticada pelos médicos como espasmofilia.
- *problemas nas articulações*. O controlador é tenso e costuma ter problemas ligados às articulações do corpo, principalmente os joelhos.
- *perda do controle corporal*. Ele é propenso a ter enfermidades que envolvem a perda do controle de certas partes do corpo, como hemorragias, impotência sexual, diarreia, etc.
- *paralisia*. Quando em situação de impotência total, pode ser afetado por paralisia.
- *problemas no sistema digestivo*. Tem problemas constantes no fígado e no estômago.
- *doenças de natureza inflamatória*. É mais propenso do que outros às doenças que terminam em "ite", ou seja, de natureza inflamatória. Essas doenças são vividas principalmente pelas pessoas que, devido ao excesso de expectativas, mergulham na impaciência, na raiva e na frustração.
- *herpes bucal*. É comum um controlador sofrer de herpes bucal, afecção que se manifesta quando ele acusa, conscientemente ou não, o sexo oposto de ser *nojento*. É também um meio de controle para não ter que beijar o outro.

As indisposições e doenças mencionadas podem se manifestar em pessoas com outras feridas, mas parecem mais comuns nas que sofrem de traição.

É importante compreender que seu genitor do sexo oposto, que gerou em você essa ferida, provavelmente viveu (ou ainda vive) essa mesma ferida com o próprio genitor do sexo oposto. Nada impede você de ir checar isso com ele. Fazer nossos pais falarem sobre o que viveram com seus pais quando eram jovens costuma ser uma experiência muito enriquecedora.

Lembre-se de que a principal causa de uma ferida advém de nossa incapacidade de perdoar o que fazemos a nós mesmos ou o que impomos aos outros. Temos dificuldade em nos perdoar porque, em geral, não percebemos que nos recriminamos. Quanto mais grave a ferida da traição, mais frequente é o seu hábito de trair os outros ou a si mesmo não confiando ou não cumprindo o que prometeu a si próprio. Recriminamos nos outros tudo que nós mesmos fazemos mas não queremos enxergar.

Ressalto que as características e os comportamentos descritos neste capítulo só estão presentes quando uma pessoa veste sua máscara de controlador, julgando assim evitar viver a traição. Conforme a gravidade da ferida e a intensidade da dor, essa máscara pode ser usada apenas alguns minutos por semana ou praticamente o tempo todo.

CARACTERÍSTICAS DA FERIDA DA
TRAIÇÃO

DESPERTAR DA FERIDA: Entre os 2 e os 4 anos com o **genitor do sexo oposto.** Quebra de confiança ou expectativas não correspondidas na conexão amor/sexualidade. Manipulação.

MÁSCARA: Controlador.

CORPO: Exibe força e poder. No homem, ombros mais largos que os quadris. Na mulher, quadris mais largos e fortes que os ombros. Peito estufado. Barriga proeminente.

OLHOS: Olhar intenso e sedutor. Vê tudo rapidamente.

VOCABULÁRIO: "Dissociado", "Você entendeu?", "Sou capaz", "Deixa que eu faço sozinho", "Eu já sabia", "Confie em mim", "Eu não confio nele".

CARÁTER: Julga-se responsável e forte. Procura ser especial e importante. Falha em cumprir seus compromissos ou promessas. Mente com facilidade. Manipulador. Sedutor. Tem muitas expectativas. Humor instável. Convicto de ter razão, tenta convencer o outro. Impaciente. Intolerante. Compreende e age rapidamente. Eficiente, a fim de ser notado. Engraçado. Fechado. Não mostra sua vulnerabilidade. Cético. Medo de trair e ser traído.

MAIOR MEDO: A dissociação; a separação; a renegação.

ALIMENTAÇÃO: Bom apetite. Come depressa. Acrescenta sal e temperos em tudo. Consegue se controlar quando está ocupado, mas perde o controle depois.

DOENÇAS POSSÍVEIS: Doenças em que se perde o controle das funções do corpo • agorafobia • espasmofilia • problema no sistema digestivo • doenças de natureza inflamatória • herpes bucal.

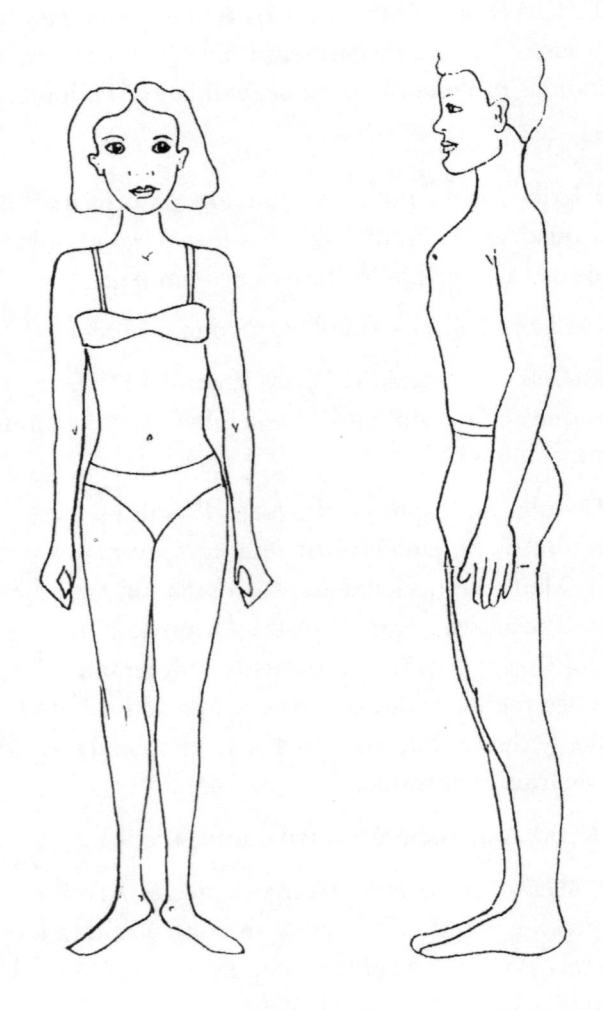

ASPECTO FÍSICO DO RÍGIDO
(FERIDA DA INJUSTIÇA)

CAPÍTULO 6
A INJUSTIÇA

Injustiça é o ato ou a ação contrária à justiça. A justiça se define como a apreciação, o reconhecimento e o respeito dos direitos e do mérito de cada um. A palavra justiça remete a retidão, equidade, imparcialidade, integridade. Uma pessoa que sofre de injustiça, portanto, é aquela que não se sente apreciada em seu justo valor, que não se sente respeitada ou que julga não receber o que merece. Um indivíduo também pode sofrer de injustiça quando recebe mais do que julga merecer.

Essa ferida é despertada no período do desenvolvimento da individualidade da criança, entre os 4 e os 6 anos aproximadamente, no momento em que ela se torna consciente de que é um ser humano, uma entidade autônoma com suas singularidades. A criança acha injusto não conseguir integrar sua individualidade, não conseguir se exprimir e ser ela mesma. **Ela vive essa ferida principalmente com o genitor do mesmo sexo.** Ela sofre com a frieza desse genitor, com sua incapacidade de sentir e se exprimir. Não estou dizendo que todos os pais dos que sofrem de injustiça são frios, apenas que são percebidos assim pela criança. Ela sofre igualmente com o autoritarismo, as críticas frequentes, a severidade, a intolerância ou o conformismo. Na maioria dos casos, o pai/a mãe sofre da mesma ferida. Ela talvez não seja vivenciada da mesma maneira ou nas mesmas circunstâncias, mas está presente e a criança a sente.

A alma que decide voltar à Terra para curar a ferida da injustiça escolhe pais que a ajudarão a lidar com essa ferida. A reação face à injustiça consiste em se isolar dos sentimentos, acreditando que assim irá se poupar. A máscara criada pela criança para se proteger nesse caso é a da *rigidez*. O fato de uma pessoa se isolar do que sente não significa que não sinta nada. Pelo contrário: indivíduos *rígidos* são muito sensíveis, mas desenvolvem a capacidade de não reconhecer essa sensibilidade e de não mostrá-la aos outros. Eles se iludem, julgando que nada os afeta. Eis por que parecem frios e insensíveis.

Várias pessoas rígidas me contaram que, na adolescência, havia amizade entre elas e seu genitor do mesmo sexo. No entanto, era uma relação superficial, em que nenhum dos dois falava do que sentia.

Os rígidos muitas vezes têm o hábito de cruzar os braços, bloqueando a região do plexo solar para não sentir. Outra maneira de ocultar seus sentimentos é se vestir de preto. O escapista também gosta de se vestir de preto, mas ele o faz por uma razão diferente, que é não querer aparecer. As pessoas que têm as duas feridas, da rejeição e da injustiça, costumam ter apenas roupas pretas ou muito escuras no armário.

O rígido procura a justiça e a correção a todo preço. É sendo um perfeccionista que tenta ser justo. Acha que, se o que diz ou faz é perfeito, será necessariamente justo. É muito difícil para ele compreender que, agindo com rigor segundo seus próprios critérios, também pode cometer injustiças.

O indivíduo que sofre dessa ferida é mais inclinado a sentir inveja dos que têm mais e que, segundo ele, não são merecedores. Também pode acreditar que os outros o invejam quando ele tem mais. O ciúme, ao contrário da inveja, é mais vivenciado pelo dependente ou pelo controlador. O dependente é ciumento porque teme ser abandonado; o controlador, porque teme ser traído.

A máscara do rígido se caracteriza por um corpo reto, empertigado e proporcional. Os ombros são retos e da mesma largura dos quadris. O rígido pode ganhar peso ao longo da vida, mas seu corpo continuará proporcional.

Devo admitir que é o rígido quem tem mais medo de engordar e fará de tudo para isso não acontecer. Ele não aceita nem mesmo uma barriga proeminente. Quando está em pé, tende a encolhê-la. A mulher rígida, porém, tende a acreditar que o corpo da mulher deve ter curvas. Senão, não é feminino.

Os homens, assim como as mulheres, têm as nádegas arredondadas. As mulheres têm baixa estatura. Os rígidos gostam de usar roupas justas na cintura ou de colocar um cinto para marcá-la. Esse tipo de pessoa crê que, afinando a cintura – que se acha na região do plexo solar (região das emoções) –, sentirá menos.

São pessoas inquietas, com movimentos dinâmicos. No entanto, seus gestos são rígidos, sem grande flexibilidade, e demonstram certo retraimento, como manter os braços colados ao corpo, por exemplo. Elas têm a pele clara e o olhar brilhante, vivo. Seu maxilar é cerrado e o pescoço, rijo, reto de orgulho; é comum inclusive vermos os nervos do pescoço salientes.

Se você reconhece em si todas as características físicas descritas acima, é sinal de que sofre de uma grave ferida da injustiça. Se tem apenas algumas particularidades, sua ferida da injustiça é mais leve.

Já muito jovem, o rígido percebe que as pessoas o apreciam mais pelo que ele faz do que pelo que ele é. Ainda que isso não seja verdade, ele está convencido de que essa é a realidade. Eis por que, desde cedo, busca ser rápido e eficiente naquilo que faz. Procura de todas as formas se afastar dos problemas e, mesmo que esteja cheio deles, prefere dizer que não tem nenhum para evitar sentir o sofrimento que eles trazem. É muito otimista; talvez em excesso. Acha que, dizendo a si mesmo "Sem problema!", as situações difíceis se resolverão mais depressa. Aliás, faz o possível e o impossível para resolvê-las sozinho. Só pede ajuda em último caso.

Quando enfrenta decepções ou imprevistos, ele repete mil vezes interiormente: "Sem problema!" Consegue, assim, esconder de si e dos outros o que sente, simulando indiferença.

O rígido, como o controlador, costuma sofrer com uma eterna falta de tempo, mas as razões de ambos são distintas. O rígido não tem tempo suficiente porque quer muito que tudo saia perfeito; o controlador, porque está muito ocupado cuidando dos assuntos alheios. O rígido não gosta de atraso, porém, como leva muito tempo se arrumando, tende sempre a se atrasar.

Quando o rígido, diante de uma autoridade ou de alguém que se julga especialista em determinada matéria, está convencido de seu raciocínio, ele argumenta até que lhe deem razão. Se uma pessoa duvida ou questiona alguma decisão que tomou, que ele sabe ter sido honesta e justa, ele vivencia aquilo como uma inquisição e se ressente da injustiça.

Como sempre procura a justiça, ele quer se certificar de que é digno do que recebe. O mérito é importante para o rígido e significa obter uma recompensa decorrente de uma boa performance. Se recebe muito sem ter se esforçado muito, julga não merecer e dá um jeito de perder tudo que recebeu. Os extremamente rígidos se planejam inclusive para não receber nada, pois, a seu ver, devem ser extraordinários para merecer uma recompensa.

O rígido quer que todos os detalhes de tudo que diz ou faz sejam corretos, mas sua forma de se expressar está longe de ser correta, pois ele costuma exagerar. Utiliza bastante as palavras "sempre", "nunca" e "muito". Por exemplo, uma mulher rígida diz ao marido: "Você *nunca* está aqui, você está *sempre* fora!" Ela não percebe que se exprimindo assim está sendo injusta, uma vez que é muito raro que uma situação aconteça *sempre* ou *nunca*. Para o rígido tudo é *muito bom, muito bem, muito especial*, etc. Por outro lado, ele não gosta que os outros usem essas palavras. Quando o fazem, ele os acusa de estarem exagerando ou de se expressarem incorretamente.

Há mais chance de a religião impactar ou influenciar o rígido do que os que sofrem das outras feridas. O bem e o mal, o certo e o errado são muito importantes para ele. São, aliás, o que rege sua vida. Podemos observar isso em sua linguagem. Ele costuma começar suas frases com "bem" ou "bom" para se certificar de que o que vai dizer será correto. E termina-as com "concordam?" para verificar a correção do que acaba de dizer. Utiliza vários advérbios e gosta das explicações claras e precisas.

Quando o rígido está tenso, ele não quer demonstrar, mas podemos perceber isso pelo tom de sua voz, que se torna seco e duro. Pode utilizar o riso para esconder sua sensibilidade e suas emoções. Pode rir à toa, por coisas que ninguém acha engraçado.

Quando alguém encontra um rígido e pergunta como ele está, ele responde sistemática e rapidamente: "Superbem!" Durante a conversa, fala de vários acontecimentos em sua vida que não vão tão bem assim. Então o interlocutor lhe diz "Mas você disse que estava superbem!", e ele argumenta que não são problemas sérios.

O medo de errar é muito forte no rígido. Em minhas oficinas, só as pessoas rígidas me perguntam: "Será que fiz o exercício de maneira correta?" Em vez de observar o que sentem e o que podem aprender sobre si mesmas durante o exercício, elas se interessam mais em saber se o fizeram direito. Também notei que, quando falo de um comportamento ou de uma atitude que o rígido vê em si como um novo defeito, ou seja, não se considera correto por ter aquele comportamento, ele me interrompe antes mesmo de eu terminar para me perguntar: "O que faremos agora?" Ele quer dicas para se tornar perfeito o mais rápido possível, ou terá de se controlar para não deixar transparecer o defeito que acaba de descobrir. Ele não percebe, mais uma vez, que está sendo injusto e exigindo demais de si mesmo. No ímpeto de resolver tudo imediatamente, não se permite um tempo para sentir a situação, para ter o direito de ser humano e de ter feridas não curadas.

Observei na pessoa com a máscara de rígido uma tendência a se ruborizar com facilidade quando me conta alguma coisa que julga *não ser correta*. Isso pode acontecer, por exemplo, quando ela relata sua dificuldade de perdoar alguém que lhe fez mal ou quando fala mal de alguém que não aguenta mais e julga sua atitude injusta. Essa reação indica que esse indivíduo tem vergonha de si mesmo, do que faz ou não faz. Só que ele não sabe que é por essa razão que se ruboriza e às vezes nem sequer percebe que faz isso. Aliás, são as pessoas rígidas e as escapistas que têm mais problemas de pele.

É esse medo de não ser perfeito que faz com que uma pessoa rígida se coloque frequentemente em situações em que precise fazer escolhas que considera difíceis. **Quanto mais temos medo, mais situações correspondentes a esse medo atraímos.** Acontece frequentemente de uma pessoa rígida se proporcionar um prazer escolhendo determinada opção e, em seguida, ter a impressão de falhar em outra coisa. Tomemos o exemplo do homem que resolve fazer uma cara viagem de férias. Mais tarde, ele dirá que deveria ter usado o dinheiro para fazer uma reforma na casa. Por causa do seu medo de tomar a decisão errada, o rígido se pergunta constantemente se suas escolhas são as melhores e mais justas para ele.

Se você quer que alguma coisa seja dividida igualmente entre várias pessoas, como um bolo, uma garrafa de vinho, a conta no restaurante, etc., pode ter certeza de que é o rígido que deve chamar para essa tarefa, pois ele se sairá muito bem nela. Quando me reúno com um grupo num restaurante, divirto-me observando o que acontece quando a conta chega. O controlador assume as rédeas da situação dizendo: "O que acham de dividir essa conta em partes iguais? Será muito mais rápido e menos complicado." Ele se exprime com tamanha força e tal controle que os outros concordam de modo educado. Ele calcula rapidamente, dividindo o total pelo número de pessoas e lhes comunica o montante a pagar. É nesse momento que os rígidos reagem. Acham justo que aqueles que consumiram mais paguem mais. Nesse tipo de situação, é preciso, em geral, refazer a conta.

As pessoas rígidas são muito exigentes consigo mesmas na maioria dos domínios de sua vida. Têm grande capacidade de se controlar, de se impor tarefas. Vimos no capítulo anterior que o controlador gosta muito de controlar o que acontece à sua volta. O rígido, por sua vez, procura de tal forma a perfeição que é levado, antes, a controlar a si mesmo. Ele se torna eficiente e exige tanto de si que os outros passam a exigir muito dele também. Quantas vezes ouvi mulheres rígidas dizerem aos que a cercavam: "Parem de achar que eu sou uma supermulher que pode tudo!" Na realidade, essas mulheres falam consigo mesmas. Os outros estão ali como reflexo de sua autoexigência.

Um participante de um dos meus cursos contou que o pai sempre repetia para ele: "Você não tem nenhum direito, só deveres." Desde criança, essa frase ficou enraizada nele, que admite ter muita dificuldade de relaxar. Não se permite parar, divertir-se, descansar. Julga-se obrigado a estar sempre em ação. Assim, cumpre seu dever. Como há sempre muito a fazer no dia a dia, isso significa que o rígido raramente se permite relaxar sem se sentir culpado. Ele então se justifica quando descansa ou se diverte, dizendo, por exemplo, que afinal merece parar depois de tudo que fez. Além disso, o rígido se sente especialmente culpado quando não faz nada enquanto alguém trabalha. Acha isso injusto.

É por isso que seu corpo, especialmente pernas e braços, se tensiona mesmo em repouso. O rígido precisa se esforçar para distender as pernas, deixá-las relaxar. Só depois de alguns anos que me dei conta de que, quando estou sentada no cabeleireiro ou lendo, de repente sinto minhas pernas rígidas. Devo conscientemente permitir às minhas pernas, meus ombros ou braços relaxar. Antes, eu não tinha consciência dessa rigidez.

O rígido tem dificuldade não só de respeitar seus limites, como também de conhecê-los. Como nunca tem tempo de sentir se o que faz corresponde ou não a uma necessidade, ele faz demais e só para quando explode. Aliás, custa-lhe pedir ajuda. Prefere fazer tudo sozinho para que saia perfeito. É por essa razão que o rígido é o mais propenso a sofrer estafa ou esgotamento profissional.

Você pode constatar que a maior injustiça que o rígido vivencia é com relação a si mesmo. Ele se acusa com facilidade. Por exemplo, se resolve se dar de presente alguma coisa que julga não ser absolutamente necessária, terá que justificar essa compra dizendo a si mesmo que a merece. Caso contrário, acusa-se de estar sendo injusto.

A ferida da injustiça é outra ferida que preciso curar nesta vida. Aconteceu-me diversas vezes perder ou quebrar alguma coisa no primeiro uso, pois, no fundo, acreditava não precisar daquilo.

Aprendi que **não é porque tentamos mentalmente nos convencer de que merecemos alguma coisa que a aceitação é de fato consumada**. Nesse caso, ainda falta a capacidade de sentir que temos direito àquilo. Podemos saber em nossa mente que somos merecedores, mas também precisamos *sentir* que é justo. Várias pessoas já me ouviram dizer que a melhor recompensa que posso me dar é ir ao shopping para comprar uma coisa bonita de que não preciso. Hoje sei que, se tenho essa necessidade, é para me ajudar a parar de acreditar no mérito e me permitir oferecer a mim mesma, sem culpa, o que me faz bem.

Constatei diversas vezes que os participantes de tipo rígido das minhas oficinas gostam de deixar claro para o seu grupo que estão ali para fazer um curso, e não para se divertir, que vieram para trabalhar sua presença no mundo. Os que vêm de longe e precisam hospedar-se num hotel se organizam para que seja o menos caro possível. Alguns inclusive escondem dos colegas que ficarão num hotel, com medo de como serão tachados. Quando procura dissimular o que faz ou o que compra, o rígido vivencia não só a culpa como também a vergonha.

O rígido gosta que aqueles que o cercam estejam a par de todos os seus afazeres. O controlador também age dessa forma, mas por uma razão diferente. Este último quer mostrar que é responsável, ao passo que o rígido faz isso para mostrar que merecem ser recompensados. Assim, quando se proporciona algum luxo, não se sente culpado. Espera que os outros achem justo que ele se recompense. Como você pode ver, a noção de mérito é muito importante para o rígido. Ele não gosta de ouvir que tem sorte, pois, a seu ver, *ter sorte* não é justo. Ele quer merecer tudo que lhe acontece. Se alguém diz que ele é sortudo, ele responderá: "Não é sorte, trabalhei muito para chegar aqui." Se ele julgar que o que obteve deveu-se à sorte e não a merecimento, vai se sentir muito incomodado e em dívida com alguém. Dará então um jeito de não conservar tudo para si.

Uma característica do rígido difícil de ser vista naqueles que não portam a ferida da injustiça é o fato de que ele costuma julgar mais injusto ser favorecido do que desfavorecido em relação aos outros. Em casos assim, alguns rígidos encontram uma razão para se queixar a fim de esconder do seu grupo que eles têm mais. Outros se julgam obrigados a dividir o que possuem. Sendo eu mesma do tipo rígido, posso confirmar isso, pois, desde pequena, sempre tive muitos talentos e facilidade em diversos domínios. Fui várias vezes a queridinha dos professores. Comecei então a fazer de tudo para ajudar os outros e assim tornar a situação mais equilibrada para eles. Aliás, essa é a razão pela qual uma pessoa rígida será induzida a ajudar o próximo.

A pessoa rígida não fica muito à vontade ao receber presentes ou agrados, pois se sente devedora. Mais do que se sentir obrigada a dar ao outro alguma coisa do mesmo valor (para ser justa), ela prefere não receber nada ou até recusar. Quando alguém se oferece para lhe pagar um almoço, por exemplo, ela prefere recusar a ter que se lembrar que na próxima saída será sua vez de pagar. Se aceitar, o fará prometendo-se retribuir na mesma medida.

É normal que alguém que sofre de injustiça seja do tipo que costuma atrair para si acontecimentos, a seu ver, injustos. Na verdade, uma situação que ele qualifica de injusta é interpretada de maneira bem diferente por uma pessoa que não sofre dessa ferida. Eis um exemplo: conversando com uma senhora que sofreu muito por ser a filha mais velha, ela me confidenciou que sempre achou injusto ter que ajudar a mãe a cuidar dos irmãos e, principalmente, ter que ser um exemplo para eles. Em contrapartida, outras mulheres me disseram ter achado injusto ser a segunda ou terceira filha, pois raramente ganhavam roupas novas, sendo obrigadas a usar as das mais velhas.

Perdi a conta do número de vezes que ouvi mulheres e homens me contarem como achavam injusto ter de cuidar de seu pai ou mãe idoso ou doente! O que consideravam mais injusto era o fato de seus irmãos sempre apresentarem boas desculpas para não ajudar e eles precisarem assumir tudo sozinhos. Esse tipo de situação não é fruto do acaso. Na verdade, **sua ferida da injustiça atrai esse tipo de situação, que cessará apenas quando a ferida for curada.**

Mencionei anteriormente a capacidade do rígido de se controlar, de criar obrigações para si. Eis por que é o lado rígido de uma pessoa que consegue seguir um regime alimentar, por exemplo. Uma pessoa sem vestígios da ferida da injustiça tem mais dificuldade em fazer isso pois não consegue se controlar como um rígido. O propósito do rígido ao criar suas motivações é alcançar a perfeição por si mesmo, segundo seu ideal de perfeição.

A pessoa não rígida que é incapaz de privar-se de algo se acusará de falta de força de vontade, mas é importante fazer a distinção entre "ter vontade" e "controlar-se". A pessoa que se controla é aquela que se impõe alguma coisa sem que isso corresponda obrigatoriamente a uma necessidade. Por trás do controle, esconde-se um medo. A pessoa que tem vontade sabe o que quer e está determinada a obtê-lo. Ela alcança seus objetivos organizando-se, não desprendendo os olhos de seu objetivo, ao mesmo tempo que respeita suas necessidades e seus limites. Quando um incidente vem contrariar seus planos, ela pode ser flexível e é capaz de refazer os planos para chegar a seus fins. A pessoa rígida, por sua vez, não verifica sequer se o que ela deseja corresponde de fato a uma necessidade. Ela não se permite um tempo para se interiorizar e se perguntar: "Como eu me sinto com esse desejo e com a maneira que escolhi para realizá-lo?"

O rígido às vezes pode parecer controlador, mas, quando intervém junto aos outros, não é para controlar e chamar a atenção ou se mostrar forte como faz o controlador; ele só intervém quando o que acaba de ser dito ou feito é injusto com alguém ou não lhe parece correto. Quando conversa com alguém, o rígido retifica o que acaba de ser dito, ao passo que o controlador acrescenta ao que acaba de ser falado. O rígido pode repreender uma pessoa se acredita sinceramente que, com sua capacidade ou seus talentos, essa pessoa poderia ter realizado melhor uma tarefa. O controlador, por sua vez, repreende o outro quando a tarefa não é executada à sua maneira, segundo seu gosto ou sua expectativa.

Há outra diferença entre esses dois tipos de personalidade: a pessoa rígida se controla para não perder o controle, pois acha que, perdendo-o, será injusta com o outro. A pessoa controladora, por sua vez, se controla para controlar melhor uma situação ou outra pessoa e mostrar-se a mais forte.

Um indivíduo rígido gosta de tudo bem arrumado. Detesta ter que procurar alguma coisa. Alguns podem se tornar obsessivos em sua aflição para que tudo esteja de maneira perfeita.

O rígido também tem uma grande dificuldade em distinguir entre rigidez e disciplina. Eis minha definição: uma pessoa rígida esquece seu objetivo inicial, preferindo prender-se ao meio pelo qual irá realizá-lo; uma pessoa disciplinada dá um jeito de concretizar seu objetivo e não o perderá de vista. Tomemos o exemplo de uma pessoa que decide caminhar uma hora por dia para levar uma vida mais saudável e ficar em forma. O meio, portanto, é a caminhada. Ela se impõe caminhar todos os dias, chova ou faça sol, tenha vontade ou não. Se um dia não for, se odiará por isso. A pessoa disciplinada, por sua vez, não se esquece por que caminha todos os dias. Um dia, decidirá não caminhar, sabendo que será melhor para sua saúde não forçar a barra. Não se sentindo culpada por isso, reiniciará as caminhadas no dia seguinte, com o espírito tranquilo. A pessoa disciplinada não abandona um projeto porque perdeu um dia ou porque há uma mudança em seu planejamento.

O rígido é bastante propenso ao estresse, pois faz questão da perfeição em tudo. O controlador também, mas por outra razão: ele quer triunfar. Quer evitar o fracasso a todo custo, com medo da imagem que passaria para os outros e de como isso afetaria sua reputação.

A pessoa com máscara de rígido raramente fica doente. Ela é muito severa com seu corpo. É o tipo de pessoa que não sente quando o corpo tem necessidades fisiológicas. Só decide ir ao banheiro quando não pode mais se conter. Ela também é muito resistente à dor. Se sente um pouco de dor no momento em que esbarra em alguma coisa, seu mecanismo de controle dispara imediatamente, o que lhe dá uma enorme faculdade de esconder o sofrimento. Você pode notar que, nos filmes em que alguém é torturado ou em que há espionagem, os atores escolhidos sempre têm as características físicas do rígido. Podemos facilmente reconhecer um policial pelo seu corpo de rígido. Essas pessoas podem ter outra ferida, mas é o seu lado rígido que as faz escolher uma profissão em que acreditam promover a justiça. No entanto, quando um policial ou espião parece ter prazer em mostrar seu poder e sua força, foi sua máscara de controlador que o fez escolher essa profissão.

Observei diversas vezes as pessoas rígidas se vangloriando de nunca precisarem de remédios ou de médico. A maioria delas, inclusive, não tem sequer um clínico e, se acontecer uma emergência, não saberá a quem recorrer. Quando elas decidem pedir ajuda, podemos concluir que estão sofrendo há tempos e que chegaram ao seu limite.

É importante saber que ninguém consegue se controlar a vida inteira. Todos nós temos limites nos planos físico, emocional e mental. É o que explica o fato de ouvirmos frequentemente falarem sobre uma pessoa rígida: "Não entendo o que está acontecendo com ele. Nunca ficava doente, mas agora tem um problema atrás do outro." Esse tipo de situação ocorre quando a pessoa rígida não consegue mais se controlar.

A emoção mais vivenciada pelo rígido é a raiva, principalmente em relação a si mesmo. Tomemos o caso de uma pessoa rígida que empresta dinheiro a um amigo, sabendo que este costuma passar por dificuldades financeiras. Empresta-lhe o dinheiro porque o amigo promete devolvê-lo em duas semanas, mas ele não cumpre a promessa. O rígido então vivencia a raiva, odiando-se por não ter pensado direito e ter-lhe dado outra chance. Mas ele é inclinado a dar chances aos outros; acha-se mais justo assim. Se for muito rígido, é provável que não queira enxergar a própria raiva e tente dar um jeito de desculpar o outro.

Esse mesmo exemplo pode ser vivido como uma ferida da traição, se for um controlador a emprestar o dinheiro. Este, no entanto, não se odeia como faz o rígido. Ele recriminará o amigo, em quem confiou, por não cumprir sua palavra.

O rígido é o tipo de pessoa que tem dificuldade em se permitir ser amado e demonstrar seu amor. Costuma pensar tarde demais no que gostaria de ter dito ou nas provas de afeição que adoraria ter dado a quem ama. Promete sempre que fará tudo isso da próxima vez, mas esquece quando a oportunidade se apresenta. Passa então a ideia de uma pessoa fria e pouco afetuosa. Agindo assim, é injusto com os outros e consigo mesmo, pois se priva de exprimir o que sente de fato.

O rígido evita ser tocado pelos outros. Esse medo de ser tocado ou afetado por outras pessoas pode ser bastante intenso, a ponto de gerar problemas de pele. Sendo um órgão de contato, a pele ajuda--nos a tocar e ser tocados, aproximando-nos dos demais. Mas, na verdade, se ela for repugnante, pode afastar. A pessoa que possui um problema de pele costuma ter vergonha do que os outros podem ver ou pensar sobre ela.

Esse medo de ser tocado pode ser notado em seu corpo. Os braços colados ao corpo, em especial do cotovelo ao ombro, as mãos cerradas e as pernas grudadas uma na outra são sintomas de fechamento.

O rígido tende a usar muito a comparação, sendo injusto com ele mesmo. Ele se compara com os que considera melhores e, sobretudo, mais perfeitos do que ele. Desvalorizar-se assim representa uma grave injustiça e uma forma de rejeição do seu ser. É muito comum o rígido sentir-se comparado, quando jovem, aos irmãos, irmãs ou colegas de escola. Então, ele acusa os outros de serem injustos com ele, pois não sabe que, se os amigos o compararam, é porque ele faz isso interiormente.

Se você se reconhece nessa ferida da injustiça e porta a máscara de rígido, a primeira coisa a fazer é admitir o número de vezes que foi injusto com os outros e consigo mesmo num único dia. Essa é a parte mais difícil de aceitar, mas será o início da sua cura. No próximo capítulo, abordaremos mais extensamente os meios de curar essa ferida.

Lembro-me de um incidente que aconteceu com um de meus filhos quando ele tinha 17 anos e que afetou muito minha ferida. Um dia, estávamos sozinhos e lhe perguntei: "Diga-me uma coisa, desde a sua infância, qual foi minha atitude como mãe que fez você sofrer mais?" Ele respondeu: "Sua injustiça!" Fiquei chocada e muda, tão grande foi a minha surpresa. Eu rememorava todas as situações em que tentara ser uma mãe justa. Colocando-me na pele de meus filhos, posso agora compreender que eles tenham me achado injusta em alguns momentos. Entretanto, as características físicas de meu filho indicam que a experiência de injustiça vivida comigo despertou sua ferida da traição. De fato, ele deve ter achado injusta a indiferença de seu pai diante do meu comportamento. No seu corpo, podemos ver duas feridas, a da injustiça e a da traição. Isso é muito frequente e significa que ele tem alguma coisa de diferente a acertar com cada um dos pais: a ferida da traição comigo e a ferida da injustiça com o pai.

O maior medo do rígido é a *frieza*. Ele tem tanta dificuldade em aceitar a própria frieza quanto a dos outros. Faz tudo que pode para se mostrar caloroso. Aliás, ele se julga caloroso e realmente não imagina que os outros possam achá-lo insensível e frio. Ele não tem consciência de que evita estar em contato com sua sensibilidade para não mostrar sua vulnerabilidade. Não consegue aceitar essa frieza, pois isso seria admitir que *não tem cora-*

ção, o que equivale a dizer que é *injusto*. Por isso é tão importante para o rígido ouvir as pessoas falarem que ele é *bom no que faz* ou *cheio de bondade*. No primeiro caso, ele se considera perfeito e, no segundo, afetuoso. Ele também aceita com dificuldade a frieza alheia. Quando alguém é frio com ele, fica transtornado e se pergunta imediatamente o que fez ou disse de incorreto para que o outro agisse daquela forma.

Ele é atraído por tudo que é nobre. O respeito e a honra são igualmente importantes. Fica impressionado com as pessoas que têm títulos importantes. Se sabe que algo pode lhe valer um título, torna-se ainda mais eficiente. Está pronto a fazer todos os sacrifícios necessários, embora, na realidade, nem veja isso como sacrifício.

Em sua vida sexual, o rígido tem dificuldade de relaxar e sentir prazer. Tem problemas para exprimir toda a ternura que sente. É, no entanto, o tipo mais sensual fisicamente. As pessoas rígidas gostam de se vestir com roupas que moldem o corpo e adoram ser atraentes aos olhos alheios. É comum dizerem de uma mulher rígida que ela é provocante, isto é, que gosta de atrair os homens, ao mesmo tempo que os repele friamente se julgar que a coisa está indo longe demais. Quando adolescente, a rígida irá se conter, preservando-se pura para seu eleito. Ela fantasia uma relação sexual perfeita e, claro, irreal. Quando enfim decide se entregar, fica decepcionada, pois aquilo não corresponde ao seu ideal. Quando a pessoa rígida tem dificuldade de se comprometer, é por causa do seu medo de se enganar na escolha do parceiro. Esse medo é diferente do medo do controlador, que, por sua vez, receia a separação, temendo faltar com o compromisso.

A pessoa rígida cultiva vários tabus na esfera sexual, pois o bem e o mal também dirigem sua vida sexual. A mulher é habilidosa em fingir gozar. Quanto mais intensa sua ferida, mais rígida a pessoa e mais difícil para ela alcançar o orgasmo. O homem, por sua vez, pode sofrer de ejaculação precoce ou mesmo de impotência sexual, dependendo de sua capacidade de ter prazer na vida.

Observei que muitas prostitutas têm as características rígidas em seu corpo. Elas conseguem ter relações sexuais apenas por dinheiro, pois são capazes de bloquear suas sensações com mais facilidade do que outras pessoas.

Os temores que impedem o rígido de se comunicar com clareza são: medo de se enganar, de não ser claro, de ser criticado, de ter escolhido a hora errada, de falar demais, de se exaltar ou perder o controle, de desagradar, de parecer muito exigente, de despertar ciúme ou inveja, de ser considerado um aproveitador. Se você se reconhece nesses medos, provavelmente não está sendo você mesmo e tem a ferida da injustiça.

No que se refere à alimentação, o rígido prefere o salgado ao doce. Também gosta de tudo que é crocante. Conheço alguns que gostam de morder gelo. Em geral, é adepto de uma alimentação equilibrada. Dos cinco tipos, sem dúvida é o mais propenso a virar vegetariano. Isso não significa necessariamente que ser vegetariano corresponda de fato às necessidades de seu corpo. Lembre-se de que o rígido costuma tomar suas decisões para ser justo. Se ele é vegetariano, por exemplo, porque acha injusto o abate de animais, seu organismo pode sofrer de falta de proteínas. Em contrapartida, se ele faz essa escolha porque não gosta de carne e, além disso, tem prazer em salvar os animais, a motivação é diferente. Seu corpo, nesse momento, se comporta melhor.

Embora exerça um controle severo sobre o que ingere, ele pode perdê-lo diante do álcool. Se isso acontece na frente de outras pessoas, ele corre para explicar que é raro se descontrolar assim, que aquele momento é uma exceção. Quando o rígido vive uma situação que o emociona, como um aniversário ou encontro especial, tem mais dificuldade de se controlar. Nessas ocasiões, come o que habitualmente se proíbe, em especial aquilo que o faz engordar. E se justifica dizendo: "*Nunca* como isso, mas hoje vou abrir uma exceção só para acompanhá-lo." Ele se esquece de que disse a mesma coisa não faz muito tempo. Sente-se culpado, se acusa e jura recomeçar o controle no dia seguinte.

As enfermidades e doenças que a pessoa que porta uma máscara de rígido pode atrair para si são:

- *dormências e tensões*. Ele sente a rigidez na parte superior da coluna e no pescoço, bem como nas partes flexíveis do corpo (tornozelos, joelhos, quadris, cotovelos, punhos, etc.). Os rígidos gostam de estalar os dedos, tentando assim relaxá-los. Podem sentir uma couraça envolvendo seu corpo, mas não percebem o que se esconde por trás dela.
- *estafa*.
- *tendinite, bursite, artrite*. Essas e outras doenças de natureza inflamatória indicam uma raiva interior represada, o que é frequente nos rígidos.
- *torcicolo*. Também é propenso ao torcicolo, por causa de sua dificuldade de enxergar todos os aspectos de uma situação que considera injusta.
- *prisão de ventre e hemorroidas*. São problemas muito frequentes por conta de sua dificuldade de relaxar e da repressão que impõe a si mesmo.
- *cãibras*. O rígido pode ter cãibras, pois elas se manifestam quando uma pessoa se contém por medo.
- *varizes*. Sua dificuldade de sentir prazer pode provocar problemas de circulação no sangue, causando varizes.
- *pele ressecada*. O rígido tem frequentemente problemas de pele.
- *espinhas*. Ele pode ter espinhas no rosto quando tem medo de se enganar, de fazer papel de tolo, de não estar à altura das próprias expectativas.
- *psoríase*. É curioso que as crises de psoríase, em geral, acon-

teçam com as pessoas rígidas durante as férias ou em momentos em que tudo está correndo bem em suas vidas. (Seria injusto com os outros se tudo estivesse *perfeito*.)
- *problemas no fígado*. São frequentes por causa de sua raiva contida.
- *nervosismo*. É comum, mesmo que, na maior parte do tempo, o rígido consiga controlá-lo.
- *insônia*. É muito comum o rígido sofrer desse mal, sobretudo aquele que só se sente bem quando tudo está terminado e perfeito.
- *problemas de visão*. Também sofre disso por conta de sua dificuldade em enxergar que tomou uma decisão ruim ou que pode ter percebido de modo errado uma situação. Prefere não ver tudo que considera imperfeito, pois assim não sofre. Usa frequentemente a expressão "isso não está claro", o que não ajuda a melhorar sua visão.

A maioria das doenças do rígido não costuma ser suficientemente grave para justificar uma consulta médica. Ele espera curar-se com o tempo ou tenta se medicar por conta própria, sem falar nada para os outros, pois tem muita dificuldade de admitir que precisa de ajuda. Quando decide pedir ajuda, o problema já pode estar bastante sério.

As enfermidades e doenças mencionadas podem se manifestar em pessoas com outras feridas, embora pareçam mais comuns naquelas que sofrem de injustiça.

Mencionei no capítulo anterior que a máscara de controlador (ferida da traição) esconde a ferida do abandono. Acontece o mesmo com a máscara de rígido, que serve para dissimular a ferida da rejeição. Se você voltar ao capítulo sobre a ferida da rejeição, verá que esta se desenvolve nos primeiros meses de nascimento, ao passo que a da injustiça se forma entre os 4 e os 6 anos. A criança que se sente rejeitada por um motivo qualquer tentará ser o mais perfeita possível para evitar essa rejeição. Após alguns anos, apesar de seus esforços visando a perfeição, não se sente mais amada e não considera isso justo. Decide então se controlar mais e se tornar tão perfeita que ninguém mais possa rejeitá-la. É assim que cria para si a máscara de rígida. Isola-se de seus sentimentos, o que a ajuda a não sentir a rejeição.

Entretanto, alguém pode sofrer de rejeição sem sofrer de injustiça, mas, segundo minhas observações, todos os indivíduos que sofrem de injustiça escondem uma ferida da rejeição. É o que explica por que, muitas vezes, o corpo de mulheres e homens rígidos, ao envelhecer, pareça diminuir. Seus corpos adquirem gradualmente as características da máscara do escapista.

Se você se reconhece nessa ferida da injustiça, é importante lembrar que o genitor do mesmo sexo que você provavelmente viveu ou ainda vive essa mesma ferida com seu próprio genitor do mesmo sexo. No capítulo seguinte, ensino como agir para curar essa ferida.

Ressalto que as características e os comportamentos descritos neste capítulo estão presentes apenas quando uma pessoa decide usar a máscara de rígido julgando assim evitar viver a injustiça. Conforme a gravidade da ferida e a intensidade da dor, essa máscara pode ser usada apenas alguns minutos ou praticamente o tempo todo.

CARACTERÍSTICAS DA FERIDA DA
INJUSTIÇA

DESPERTAR DA FERIDA: Entre os 4 e os 6 anos, com o **genitor do mesmo sexo.** Busca ser eficaz e perfeito. Bloqueio da individualidade.

MÁSCARA: Rígido.

CORPO: Aprumado, rígido e o mais perfeito possível. Proporcional. Nádegas redondas. Cintura marcada. Movimentos tensos. Maxilares cerrados. Pescoço duro. Empertigado.

OLHOS: Olhar brilhante e inquieto.

VOCABULÁRIO: "Sem problema", "sempre/nunca", "muito bom/ muito bem", "muito especial", "justamente", "exatamente", "seguramente", "concorda?".

CARÁTER: Perfeccionista. Invejoso. Isola-se do sentimento. Cruza muito os braços. Eficaz para ser perfeito. Otimista em excesso. Ativo, dinâmico. Justifica-se o tempo todo. Dificuldade de pedir ajuda. Pode rir sem motivo para esconder a sensibilidade. Tom de voz seco e severo. Não admite ter problemas. Duvida de suas escolhas. Compara-se com o melhor e o pior. Dificuldade de receber. Acha injusto obter menos, mas acha pior receber mais do que os outros. Dificuldade de ter prazer sem se sentir culpado. Não respeita seus limites; exige muito de si. Controla-se. Aprecia a ordem. Raramente adoece; severo com seu corpo. Irascível. Frio, reluta em demonstrar afeto. Gosta de parecer sexy.

MAIOR MEDO: Frieza.

ALIMENTAÇÃO: Prefere alimentos salgados aos doces. Gosta de tudo que é crocante. Controla-se para não engordar. Justifica-se e tem vergonha quando perde o controle.

DOENÇAS POSSÍVEIS: Estafa • dificuldade em alcançar o orgasmo (mulher) • ejaculação precoce ou impotência (homem) • doenças de natureza inflamatória, como tendinite, bursite, artrite, etc. • torcicolo • prisão de ventre • hemorroidas • cãibras • má circulação sanguínea • varizes • problemas de pele • nervosismo • insônia • problemas de visão.

CAPÍTULO 7

CURA DAS FERIDAS E TRANSFORMAÇÃO DAS MÁSCARAS

Antes de descrever as etapas terapêuticas indicadas para cada tipo de ferida e máscara, acho importante dividir com você minhas observações relativas às maneiras como cada tipo fala, senta, dança, etc. Elas tornam mais claras as diferenças de comportamento ligadas às máscaras.

A maneira de falar e a voz diferem conforme a máscara:

- O escapista tem uma voz apagada e fraca.
- O dependente adota uma entonação infantil, bem como um tom lamuriante.
- O masoquista costuma dissimular sentimentos em sua voz a fim de parecer uma pessoa interessada.
- O controlador tem uma voz potente e de grande alcance.
- O rígido fala de maneira mais mecânica e contida.

Eis a maneira de dançar de cada tipo de caráter:

- O escapista não gosta muito de dançar. Quando isso acontece, movimenta-se pouco e de maneira discreta para não se fazer notar. O que emana dele é *Não olhem muito para mim*.
- O dependente prefere as danças de contato, porque lhe dão oportunidade de grudar no parceiro. Às vezes, parece se pendurar em seu par. O que emana dele é *Olhem como meu parceiro gosta de mim*.
- O masoquista adora dançar e aproveita-se disso para mostrar sua sensualidade. Dança pelo prazer de dançar. O que emana dele é *Olhem quão sensual posso ser*.
- O controlador ocupa muito espaço. Gosta de dançar e utiliza-se disso para seduzir. É uma oportunidade para ser o centro das atenções. O que emana dele é *Olhem para mim*.
- O rígido é um exímio dançarino; apesar da rigidez das pernas, ele esbanja ritmo. Fica sempre atento para não errar. É aquele que mais faz aulas de dança. Os muito rígidos são sérios, mantêm-se empertigados e parecem inclusive contar os passos enquanto dançam. O que emana dele é *Olhem como danço bem*.

Que tipo de carro você prefere? A descrição abaixo indica a personalidade que influencia sua escolha:

- O escapista gosta de carros com cores escuras, que passam despercebidos.
- O dependente prefere um carro confortável e original.
- O masoquista escolhe um veículo pequeno, onde ele se sinta comprimido.
- O controlador compra um carro potente e chamativo.

- O rígido prefere um carro clássico, de alto desempenho, pois quer ser compensado pelo que gastou.

Você pode aplicar essas características a outras categorias de compras, bem como à maneira de se vestir.

A maneira de sentar-se indica o que uma pessoa vivencia enquanto fala ou escuta:

- O escapista se apequena em sua cadeira e gosta muito de esconder os pés sob as coxas. Não encostando no chão, pode fugir com mais facilidade.
- O dependente afunda na cadeira ou se apoia no braço da poltrona ao seu lado, por exemplo. Inclina o torso para a frente.
- O masoquista senta-se com as pernas abertas. Quase sempre escolhe uma cadeira ou poltrona que não lhe convém; ele parece desconfortável.
- O controlador, quando escuta, senta-se e joga o corpo para trás com os braços cruzados. Quando fala, se debruça para convencer melhor seu interlocutor.
- O rígido senta-se bem aprumado. Às vezes fecha bem as pernas e as alinha com o corpo, o que acentua seu aspecto rígido. Quando cruza as pernas e braços, é para não sentir o que ocorre à sua volta.

Em diversas entrevistas que fiz, pude constatar que um indivíduo se senta de modos diferentes dependendo do que está vivenciando. Vejamos uma pessoa portadora das feridas da injustiça e do abandono. Enquanto me conta seus problemas, seu corpo relaxa e a parte superior da coluna desce; ela está refletindo sua ferida do abandono. Instantes depois, quando lhe faço uma pergunta sobre algo que quer evitar, seu corpo se apruma, enrijece e ela me diz que, nesse aspecto, está tudo bem. O mesmo acontece com sua maneira de falar, que pode mudar várias vezes durante uma conversa.

Observando atitudes físicas e psicológicas das pessoas ao seu redor, você será capaz de reconhecer em que momento você mesmo ou alguém do seu convívio está usando uma máscara. E saberá o tipo de medo vivenciado naquele instante.

Pude notar um fato muito interessante com relação aos medos. Já mencionei aqui o maior medo de cada tipo de caráter. E constatei que a pessoa que veste determinada máscara não se dá conta de seu medo, mas as pessoas à sua volta percebem facilmente o que ela quer a todo custo evitar.

- O maior medo do escapista é o **pânico**. Ele não se dá conta disso, pois foge antes de entrar em pânico e, quase sempre, evita situações em que isso aconteceria. Em contrapartida, as pessoas ao seu lado percebem sua agitação, pois seus olhos o traem o tempo todo.
- O maior medo do dependente é a **solidão**. Ele não a vê, pois faz de tudo para não ficar sozinho. Quando está só, pode fingir que está bem, sem, no entanto, notar que busca ansiosamente alguma ocupação para passar o tempo. Sem a presença física de alguém, a televisão e o telefone lhe farão companhia. Para seus amigos, é fácil ver e sentir esse grande medo da solidão nele, mesmo quando está cercado de pessoas. Seus olhos tristes também o traem.
- O maior medo do masoquista é a **liberdade**. Ele se julga livre, pois é muito solicitado pelos outros e dispõe-se a ajudá-los. Muitas vezes, inclusive, faz mais do que lhe pedem. Ele não percebe, contudo, que cria várias imposições ou

obrigações que o impedem de escutar as próprias necessidades. Seus amigos e parentes, em contrapartida, veem como ele se sacrifica pelos outros. Seus olhos arregalados para o mundo indicam que está sempre à espreita das necessidades alheias.
- Os maiores medos do controlador são a **dissociação** e a **renegação**. Quando não quer mais falar com alguém, cria situações de conflito. Embora atraia para si separações ou situações em que renega uma pessoa, não percebe que teme isso. Ao contrário, julga que tais separações ou renegações são melhores para si, pois acha que assim não será mais enganado. O fato de ser muito sociável e receptivo o impede de ver o número de pessoas que ele descartou na vida. Aqueles que o cercam se dão conta disso com mais facilidade. Seus olhos também o traem. Severos, chegam a dar medo, podendo inclusive afastar os outros quando demonstram raiva.
- O maior medo do rígido é a **frieza**. Ele tem dificuldade em reconhecê-la, pois se considera uma pessoa calorosa, que faz o possível para que tudo seja justo e harmonioso à sua volta. É também muito fiel aos amigos. Em contrapartida, os que o cercam veem frequentemente essa sua frieza, não apenas em seus olhos, como em sua atitude seca e severa, sobretudo quando se sente acusado injustamente.

A primeira etapa para curar uma ferida é reconhecê-la e *aceitá-la*, sem, no entanto, resignar-se a ela. Aceitar significa olhar e observar, sabendo que resolver pendências faz parte da experiência de ser humano.

Criar máscaras para não sofrer, no fundo, é um ato heroico, um gesto de amor para com você mesmo. Essa máscara ajudou-o a sobreviver e a adaptar-se ao ambiente familiar que você escolheu antes de nascer.

A verdadeira razão pela qual nascemos em determinada família ou somos atraídos por pessoas com feridas iguais às nossas é que apreciamos que os outros sejam como nós. Assim, conseguimos não nos considerar piores do que eles. Então começamos a achar defeitos nos outros, não os aceitamos mais como são. Procuramos mudá-los, sem perceber que rejeitamos neles o que não queremos ver em nós, com medo de nos sentirmos obrigados a mudar. Na verdade, não precisamos mudar: precisamos nos curar. Por isso é tão importante conhecer nossas feridas.

Além disso, lembre-se de que cada uma dessas feridas decorre de um acúmulo de experiências vividas em várias existências passadas, sendo portanto absolutamente normal sua dificuldade de enfrentá-la novamente agora. Tendo fracassado nas vidas passadas, você não espera que isso aconteça dizendo simplesmente: "Quero me curar." Entretanto, a vontade e a decisão de curar suas feridas são os primeiros passos rumo à compaixão, à paciência e à tolerância consigo mesmo.

Essas qualidades, que vou ensiná-lo a desenvolver, são dádivas que você colhe em seu caminho rumo à cura. Tenho certeza de que, lendo os capítulos anteriores, você identificou as feridas presentes em seus familiares e conhecidos. Isso provavelmente o ajudou a compreender melhor o comportamento deles, logo, a ter uma tolerância maior para com eles.

Como já mencionei, é importante não se prender às palavras para identificar as feridas ou as máscaras. Por exemplo, você pode viver uma experiência de rejeição e se sentir traído, abandonado e humilhado, ou mesmo percebê-la como uma injustiça. Alguém pode ser injusto com você e despertar sentimentos de rejeição, humilhação, traição ou abandono. *Como pode ver, não é a experiência que importa, mas sim o que você sente diante dela.*

Por isso é tão importante estudar a descrição das características do corpo físico antes de ater-se às características comportamentais. O corpo não mente. Ele reflete o que se passa no plano emocional e mental. Sugiro que você releia diversas vezes a descrição física de cada ferida para assimilar melhor as diferenças entre elas.

Sei que cada vez mais pessoas recorrem à cirurgia plástica para corrigir certos aspectos de seu corpo. A meu ver, isso é inútil, pois não é porque deixamos de ver as características de uma ferida no corpo que ela está necessariamente curada. Várias pessoas que recorreram à cirurgia confessaram sua decepção ao verem reaparecer, dois ou três anos depois, o que haviam pretendido retirar ou esconder. Eis, aliás, a razão pela qual os especialistas em cirurgia estética nunca dão uma garantia de satisfação em relação ao seu trabalho. Em contrapartida, se, por amor a si mesmo, você escolhe cuidar do seu corpo físico por meio da cirurgia plástica, estando consciente de suas feridas e fazendo um trabalho emocional, mental e espiritual, há fortes chances de que ela seja benéfica para você e de que seu corpo a aceite melhor.

Se algumas pessoas se iludem no plano físico, outras caem em armadilhas no âmbito comportamental, isto é, em suas atitudes interiores. É muito comum isso acontecer nas minhas oficinas, quando explico essas feridas em detalhes. Os participantes se reconhecem fielmente na descrição do comportamento de um tipo, ao passo que seu corpo demonstra uma realidade completamente diferente.

Lembro, entre outros casos, de um rapaz de uns 30 anos que me dizia viver a rejeição desde sua mais tenra infância. Sofria por não ter uma relação estável por conta das inúmeras rejeições por que passara. Seu corpo físico, no entanto, não demonstrava qualquer sinal de rejeição. Após um momento, eu lhe disse: "Tem certeza de que é rejeição que você vivencia, e não injustiça?" Em seguida, expliquei a ele que seu corpo exibia mais sinais de uma ferida da injustiça.

Esse tipo de exemplo não surpreende, pois o ego faz de tudo para não enxergarmos nossas feridas. Ele está convencido de que, tocando nelas, não saberemos gerir a dor que isso provoca. Foi ele que nos persuadiu a criar máscaras, com o objetivo de nos poupar desse sofrimento.

> O ego julga sempre tomar o caminho mais fácil, mas, na realidade, complica nossa vida. Quando é a inteligência que governa nossas vidas – o que pode parecer difícil no começo, pois exige certo esforço –, tudo fica mais simples.

Quanto mais esperamos para tratar de nossas feridas, mais elas se agravam. Sempre que vivemos uma situação que desperta e afeta uma ferida, nós lhe acrescentamos outra camada. É como uma chama que se expande. Quanto mais grave, mais medo temos de tocar nela. Isso vira um círculo vicioso. Pode inclusive levar a pessoa a uma espécie de obsessão, acreditando que todos estão aqui para nos fazer sofrer. Por exemplo, o indivíduo muito rígido verá injustiça em toda parte e se tornará um perfeccionista exagerado. O escapista se sentirá rejeitado por todos e se convencerá de que ninguém irá amá-lo, e assim por diante.

A vantagem de reconhecer sua (ou suas) ferida é passar a olhar para o lugar certo. Antes, agíamos como uma pessoa que vai ao médico para tratar o fígado, quando, na realidade, é o coração que tem problemas. Essa situação pode durar anos, como no caso desse rapaz que tentava achar uma solução para a rejeição que julgava viver, sem que nada se resolvesse. Após diagnosticar o que efetivamente o importunava, ficou em condições de solucionar seu problema e iniciar o processo de cura da ferida.

Convém esclarecer que há uma diferença entre ter a máscara de dependente e sofrer de dependência afetiva. Não são apenas as pessoas que têm a ferida do abandono (e, portanto, a máscara de dependente) que sofrem de carência afetiva. Toda pessoa, qualquer que seja sua ferida, pode ser dependente no nível afetivo. Por quê? Porque nos tornamos dependentes afetivos quando sofremos de carência afetiva e sofremos de carência afetiva quando não nos amamos o bastante. Logo, procuramos o amor do outro para conseguir nos convencer de que podemos ser amados. A função das máscaras é mostrar que nos impedimos de ser nós mesmos porque não nos amamos o suficiente. Com efeito, lembre-se de que todos os comportamentos associados a cada uma das máscaras representam reações, e não comportamentos baseados no amor por si mesmo.

Antes de seguir adiante, recapitulemos as explicações anteriores relativas ao genitor com quem geralmente vivemos cada uma das feridas. Isso é importante para conseguir curá-las.

- *A rejeição é vivida com o genitor do mesmo sexo* (menina → mãe; menino → pai). O escapista sente-se rejeitado pelas pessoas do mesmo sexo que ele. Ele as acusa de rejeitá-lo e sente mais raiva delas do que de si mesmo. Em contrapartida, quando vive uma situação de rejeição com alguém do sexo oposto, está rejeitando a si mesmo. É igualmente possível que o que ele julga ser rejeição nessa experiência (com as pessoas do sexo oposto) seja, na verdade, abandono.
- *O abandono é vivido com o genitor do sexo oposto* (menina → pai; menino → mãe). O dependente sente-se facilmente abandonado pelas pessoas do sexo oposto e tende a acusá-las em vez de acusar a si mesmo. Quando vive uma experiência de abandono com alguém do mesmo sexo, ele acusa a si mesmo, julgando não ter dado suficiente atenção ao outro ou não ter

sido solícito. É muito comum que o que ele julga ser uma experiência de abandono com as pessoas do mesmo sexo seja, na verdade, rejeição.

- *A humilhação é geralmente vivida com a mãe* (menina/menino → mãe). O masoquista sente-se facilmente humilhado diante das pessoas do sexo feminino. Ele se põe a acusá-las. Se vive uma experiência de humilhação com alguém do sexo masculino, acusa a si mesmo e sente vergonha de seu comportamento ou de seus pensamentos com relação ao outro. Às vezes essa ferida pode ser vivida com o pai, se este se ocupava das necessidades físicas da criança, ensinando-lhe a cuidar de sua higiene, a comer, a se vestir, etc. Se é esse o seu caso, você deve inverter o que acaba de ler a respeito do feminino e do masculino.
- *A traição se manifesta com o genitor do sexo oposto* (menina → pai; menino → mãe). O controlador sente-se facilmente traído pelas pessoas do sexo oposto e tende a acusá-las por sua dor ou por suas emoções. Quando vive uma experiência de traição com alguém do mesmo sexo, acusa a si mesmo e se odeia por não ter percebido a tempo essa experiência a fim de impedi-la. É mais provável que o que ele julga ser traição da parte das pessoas do mesmo sexo seja, na verdade, uma experiência que ativa sua ferida da injustiça.
- *A injustiça é vivida com o genitor do mesmo sexo* (menina → mãe; menino → pai). O rígido sofre então de injustiça com as pessoas do mesmo sexo e as acusa de serem injustas com ele. Se vive uma situação que considera injusta com alguém do sexo oposto, ele não acusa o outro de ser injusto ou incorreto, mas sim a si mesmo. Há fortes chances de que essa experiência de injustiça vivida com as pessoas do sexo oposto seja, na verdade, traição. Ele pode inclusive desenvolver uma raiva destrutiva se sofrer muito.

Quanto mais essas feridas doem, mais normal e humana se torna a reação de recriminar o genitor que julgamos responsável por nos fazer sofrer. Mais tarde, transferimos esse rancor ou esse ódio para as pessoas do mesmo sexo do genitor acusado de nos ter feito mal. É normal, por exemplo, um adolescente odiar o pai por quem sempre se sentiu rejeitado. Mais tarde, ele transferirá esse ódio para os homens ou para seu filho, por quem se sentirá igualmente rejeitado.

Recriminamos igualmente esse genitor, de maneira inconsciente, por ter a mesma ferida que nós. Isso faz com que ele se torne, a nosso ver, o modelo de alguém com essa ferida, o que nos obriga a olhar para nós mesmos. Desejamos, também de forma inconsciente, ter outro modelo. Isso explica por que não queremos de jeito nenhum nos assemelhar a ele. Não gostamos do que ele reflete para nós. As feridas só serão curadas quando perdoarmos verdadeiramente a nós mesmos e aos nossos pais.

Em contrapartida, quando não importa qual das cinco feridas é vivida com as pessoas do sexo oposto ao genitor que julgamos responsável por nossa ferida, é a nós mesmos que recriminamos. É em momentos como esse que procuramos nos punir, seja por meio de um acidente ou de alguma coisa que nos faça mal fisicamente. O ser humano acredita na punição como um meio para expiar a culpa. Na realidade, a lei espiritual do amor afirma justamente o contrário. Quanto mais culpados nos julgamos, mais nos castigamos e mais atraímos para nós o mesmo tipo de situação. Isso equivale a dizer que quanto mais nos acusamos, mais revivemos os mesmos problemas. Por conseguinte, sentir-se culpado dificulta o autoperdão, etapa importante rumo à cura.

Além da culpa, é comum nos sentirmos envergonhados quando nos acusamos de ferir um semelhante ou quando os outros nos criticam por lhes termos feito sofrer. Privilegiei o tema da vergonha no capítulo sobre a ferida da humilhação, pois, no masoquista, é a vergonha o lado mais visível. No entanto, todo mundo sente vergonha num ou noutro momento. Ela é ainda mais intensa quando nos recusamos a aceitar que fazemos os outros sofrerem justamente aquilo que não queremos.

Quando graves abusos são cometidos ou a violência prevalece, isso indica que os indivíduos carregam feridas tão intensas que perdem o controle. É por isso que digo: **Não existem pessoas más neste mundo, apenas doentes.** Não se trata aqui de desculpá-las, e sim de aprender a ter compaixão por elas. Condená-las ou acusá-las não irá ajudá-las. Podemos ter compaixão, mesmo quando não estamos de acordo. Essa é uma das vantagens de sermos conscientes não apenas de nossas próprias feridas, mas também das dos outros.

Observei que é raro uma pessoa ter apenas uma ferida. No que me diz respeito, já mencionei que tenho duas principais para administrar nesta vida: a injustiça e a traição. Vivencio a injustiça com pessoas do mesmo sexo que eu e a traição com pessoas do sexo oposto. Como a injustiça é vivida com o genitor do mesmo sexo, percebi que, quando vivo essa emoção com uma pessoa do sexo feminino, acuso-a de estar sendo injusta. Quando a injustiça vem do sexo masculino, considero-me injusta e sinto raiva de mim mesma. Às vezes sinto inclusive vergonha. E me acontece também de perceber essa injustiça com os homens como uma traição.

Podemos então ver a máscara de controlador e a de rígido no corpo daqueles que, como eu, sofrem de ambas as feridas.

Observei também que muitos portam as feridas da rejeição e do abandono ao mesmo tempo. Vestem, por conseguinte, as máscaras de escapista e de dependente. Às vezes, a parte superior do corpo reflete uma ferida e a inferior, outra. Em alguns, a diferença é vista nos lados direito e esquerdo. Com o tempo e a prática, fica cada vez mais fácil discernir as máscaras ao primeiro relance. Quando confiamos em nossa intuição, nosso "olho interno" as percebe quase instantaneamente.

Quando uma pessoa tem a silhueta correspondente à máscara de controlador e, além disso, seu corpo é flácido ou ela tem os olhos do dependente, pode-se deduzir que ela vive as feridas da traição e do abandono.

Há, evidentemente, muitas outras combinações. Uma pessoa pode ter o corpo mais gordo do masoquista e, ao mesmo tempo, ser empertigada e rígida. Sabemos, portanto, que ela tem as feridas da humilhação e da injustiça.

Aqueles que têm o corpo volumoso do masoquista e as pernas curtas e os tornozelos pequenos do escapista são pessoas que sofrem de humilhação e rejeição.

É possível que alguns tenham três, quatro ou mesmo cinco feridas. Uma das cinco pode predominar, enquanto as outras ficam menos evidentes. Ou podem ser todas irrelevantes. Quando uma máscara predomina, é sinal de que a pessoa a utiliza com mais frequência do que as outras para se proteger. Quando a máscara ocupa pouco espaço no corpo da pessoa, isso significa que ela não sente com muita frequência a ferida ligada a essa máscara. No entanto, não é porque uma máscara é dominante que ela exprime a ferida mais importante a ser curada.

Com efeito, tentamos esconder as feridas que nos fazem sofrer mais. Já mencionei nos capítulos anteriores que desenvolvemos a máscara de rígido (injustiça) e a de controlador (traição), que são máscaras de controle e força, a fim de esconder a ferida da rejeição, do abandono ou da humilhação. Essa força serve para camuflar o que machuca mais. Daí ser tão frequente ver uma dessas três feridas surgir com a idade – pois o controle tem seus limites.

É principalmente a máscara de rígido, graças à sua capacidade de se controlar, que tem a maior possibilidade de esconder outra ferida. A pessoa masoquista e rígida, por exemplo, pode conseguir vigiar seu peso durante certo tempo. Quando não consegue mais se controlar, ela engorda logo.

A alma que vem à Terra para curar a ferida da traição procura um genitor do sexo oposto forte, sólido, que sabe ocupar seu lugar, que não perde o controle e não é excessivamente emotivo. Ao mesmo tempo, o controlador quer que esse pai seja compreensivo, confiável e que corresponda a todas as suas expectativas e necessidade de atenção, o que lhe evitaria sentir-se abandonado e traído. Se esse pai mostra indiferença, ele se sente abandonado, mas, se demonstra uma fraqueza qualquer ou uma falta de confiança nele, o controlador vivencia isso como uma traição. Se o genitor do sexo oposto é muito autoritário, agressivo ou violento, não raro se estabelece uma relação de força entre eles na adolescência, o que alimenta a ferida da traição de ambos.

O ser humano é um especialista em encontrar todo tipo de desculpas e explicações quando seu corpo muda. Podemos notar que ele não está preparado para se olhar e, sobretudo, que tem muita dificuldade em aceitar a ideia de que o corpo humano seja tão inteligente. Ele se recusa a admitir que a mais ínfima modificação em seu corpo físico é uma maneira de chamar a sua atenção para alguma coisa que ele vive intimamente, mas que não quer examinar naquele momento. Seria muito bom se as pessoas compreendessem que, quando seu corpo decide chamar sua atenção para um de seus comportamentos interiores, é na realidade seu Deus interior que utiliza seu corpo físico para ajudá-las a se tornar conscientes de que já possuem as ferramentas necessárias para enfrentar o que receiam encontrar. Em vez disso, preferimos continuar a ter medo de descobrir nossas feridas e continuamos a carregar as máscaras criadas para escondê-las, julgando assim que tais feridas irão desaparecer.

Lembre-se: usamos nossas máscaras para nos proteger quando temos medo de sofrer, de reviver uma ferida. Todos os comportamentos descritos nos capítulos anteriores só são adotados quando portamos nossas máscaras. Tão logo as incorporamos, deixamos de ser nós mesmos, adotando o comportamento ligado à máscara utilizada. O ideal é conseguir detectar rapidamente a máscara assim que a colocamos e, sem nos julgar ou criticar, identificar a ferida que tentamos esconder. Talvez você seja uma daquelas pessoas que muda de máscara uma ou várias vezes ao dia; talvez seja do tipo que usa a mesma máscara por meses ou anos a fio antes que outra ferida aflore.

No momento em que você se der conta disso, fique feliz por ter percebido e agradeça o incidente ou a pessoa que tocou sua ferida, pois lhe permitiu enxergar que ainda não conseguiu curá-la. Você está consciente de sua ferida. Assim, você se dá o direito de ser humano. É de suma importância dar-se o tempo necessário para a cura. Quando você conseguir pensar de modo natural "Ih, vesti tal máscara, foi por esse motivo que reagi dessa forma", sua cura estará bem avançada.

Recapitulo agora a maneira de saber se você ou outra pessoa acaba de colocar uma máscara para se proteger.

- Quando sua ferida da *rejeição* está ativada, você veste a máscara de escapista. Esta o leva a querer fugir da situação ou da pessoa com quem você acha que vivenciará a rejeição, temendo entrar em pânico e se sentir impotente. Essa máscara também pode convencê-lo a ficar o mais invisível possível, evitando dizer ou fazer algo que possa fazê-lo ser ainda mais rejeitado pelo outro. Essa máscara faz com que você acredite que não é suficientemente importante para ocupar seu lugar, que não tem o mesmo direito de existir que os outros.
- Quando sua ferida do *abandono* é impulsionada, você veste a máscara de dependente. Ela o leva a se comportar como uma criança, que procura chamar a atenção com choro, queixa ou

submissão, pois acha que não pode conseguir alcançar nada sozinho. Essa máscara lhe fornece os meios para evitar que o abandonem e para obter mais atenção. Pode inclusive convencê-lo a ficar doente ou a arranjar um monte de problemas para atrair o apoio que procura.

- Quando a ferida da *humilhação* é despertada, você veste a máscara de masoquista. Esta o faz esquecer suas necessidades para só pensar nas dos outros, sendo uma pessoa boa, generosa e sempre disposta a prestar favores, mesmo que além dos seus limites. Também dá um jeito de assumir as responsabilidades e os compromissos dos que parecem ter dificuldade em cumprir com seus deveres – e isso antes mesmo que lhe peçam algo. Faz de tudo para ser útil, para não se sentir humilhado, rebaixado. Assim, acaba sem a sua liberdade, que você preza tanto. Sempre que suas ações ou iniciativas são motivadas pelo medo de sentir vergonha ou de ser humilhado, você está vestindo sua máscara de masoquista.
- Quando você vivencia a ferida da *traição*, adota a máscara de controlador, que o torna desconfiado, cético, autoritário e intolerante devido às suas expectativas. Você faz de tudo para mostrar que é uma pessoa forte e não se deixa enganar facilmente, em especial quando decide pelos outros. Essa máscara o leva a fazer de tudo para evitar perder sua reputação – até mesmo a mentir. Você se esquece das suas necessidades e faz o que for preciso para que os outros pensem que é uma pessoa confiável. Além disso, essa máscara lhe permite exibir uma aura de pessoa segura de si, mesmo que você não esteja muito confiante em suas próprias decisões ou ações.
- Quando a ferida da *injustiça* é ativada, você veste a máscara de rígido, que o torna uma pessoa fria, brusca e seca no que se refere ao tom de voz e aos movimentos. Assim como sua

atitude, seu corpo também se torna rígido. Essa máscara faz com que você se torne muito perfeccionista e faz vivenciar muita raiva, impaciência, crítica e intolerância para consigo mesmo. Você é muito exigente e não respeita seus limites. Todas as vezes que se controla, se reprime e é severo em relação a si, é sinal de que colocou sua máscara de rígido.

Vestimos uma máscara sempre que temos medo de viver uma ferida com outra pessoa e também quando receamos perceber que nós mesmos fazemos os outros viverem uma ferida. Logo, agimos sempre com o intuito de ser amados ou com medo de perder o amor dos outros. Adotamos um comportamento que não corresponde ao que somos. Nós nos tornamos outra pessoa. Como o comportamento ditado pela máscara exige esforços de nossa parte, criamos expectativas com relação aos outros.

O que somos e o que fazemos devem ser a fonte de nosso bem-estar, e não os elogios, a gratidão, o reconhecimento ou o apoio que os outros nos dão.

Não se esqueça, contudo, de que o seu ego pode lhe pregar peças a fim de que você não tenha consciência de suas feridas. O ego está convencido de que, se o ser humano se tornar consciente delas e as eliminar, ele não será mais protegido e sofrerá. Eis como cada tipo de caráter se deixa iludir pelo seu ego:

- O escapista imagina que cuida bem de si mesmo e dos outros para não sentir as diferentes rejeições vividas.
- O dependente gosta de bancar o independente e dizer, a quem quiser ouvir, que se sente bem sozinho e que não precisa de ninguém.
- O masoquista se convence de que tudo o que faz pelos outros lhe dá imenso prazer e que ele escuta efetivamente suas necessidades ao fazê-lo. Adora dizer e pensar que tudo está bem

e arranjar justificativas para as situações ou as pessoas que o humilharam.

- O controlador está convencido de que nunca mente, de que cumpre sempre com sua palavra e de que ninguém o amedronta.
- O rígido gosta de alardear como é justo, como leva uma vida sem problemas; ele gosta de acreditar que tem muitos amigos que o apreciam do jeito que ele é.

Curamos nossas feridas interiores da mesma forma que nos restabelecemos de nossas feridas físicas. Você já não ficou tão impaciente para eliminar uma espinha no rosto que passou a cutucá-la sem parar? O que aconteceu? A espinha provavelmente durou muito mais tempo, certo? É o que acontece quando não temos confiança no poder de cura do nosso próprio corpo. Para que um problema (seja qual for) desapareça, é preciso primeiro aceitá-lo, dar-lhe amor incondicional, em vez de querer fazê-lo desaparecer. Suas feridas profundas também precisam ser reconhecidas, amadas e aceitas.

Amar incondicionalmente é aceitar mesmo que você não concorde e mesmo que não compreenda o porquê de determinadas situações.

Amar uma ferida ou amar as espinhas no seu rosto significa, portanto, aceitar que você as criou por uma razão específica e, sobretudo, com o objetivo de se ajudar. Em vez de querer fazê-las desaparecer, utilize-as para se tornar consciente de um aspecto da sua personalidade que você se recusa a ver. Na verdade, elas querem fazê-lo perceber, entre outras coisas, que, naquele momento, talvez você receie ser ridicularizado e esse receio o impeça de ser você mesmo. Adotando essa nova atitude, você pode olhar suas espinhas de outra forma. E pode, inclusive, vir a agradecer a elas. Se você escolher viver essa experiência adotando esse tipo de atitude mental, é certo que suas espinhas desaparecerão muito mais depressa, pois terão sido reconhecidas e amadas por sua utilidade.

Compreenda que o que você receia receber dos outros, ou o que neles recrimina, também impõe a eles, assim como a si mesmo.

Eis alguns exemplos que demonstram a que ponto podemos fazer mal a nós mesmos:

- Aquele que sofre de *rejeição* alimenta sua ferida sempre que se julga inútil ou imprestável, sempre que acha que não faz qualquer diferença na vida dos outros ou foge de uma situação.

- Aquele que sofre de *abandono* alimenta sua ferida todas as vezes que desiste de um plano que prezava muito, quando não se preocupa o suficiente consigo mesmo e quando não provê suas necessidades. Ele amedronta os outros ao se mostrar excessivamente dependente deles. Ele se machuca bastante, atraindo doenças para chamar a atenção.

- Aquele que sofre de *humilhação* alimenta sua ferida todas as vezes que se rebaixa, que se compara aos outros, que se diminui e que se acusa de ser gordo, mau, apático, aproveitador, etc. Ele se humilha usando roupas que o desvalorizam e maltrata seu corpo dando-lhe comida demais para digerir e assimilar. Atormenta-se assumindo as responsabilidades alheias, o que tira sua liberdade e o impede de reservar tempo para si.

- Aquele que sofre de *traição* alimenta sua ferida mentindo para si próprio, acreditando em coisas falsas e não cumprindo seus compromissos consigo mesmo. Ele se pune fazendo tudo sozinho porque não consegue delegar nem confiar nos outros. Mas, se resolve dar um voto de confiança às pessoas, fica tão ocupado verificando o que fizeram que se priva de dedicar um bom tempo a si.

- Aquele que sofre de *injustiça* estimula sua ferida sendo excessivamente exigente em relação a si mesmo. Ele não respeita seus limites e se estressa em demasia. É injusto com tudo que lhe diz respeito, pois vive se recriminando e se recusando a ver suas qualidades e tudo aquilo que faz bem. Ele sofre quando enxerga apenas o que não foi feito ou o erro cometido. E tem dificuldade para encontrar prazer nas coisas.

Já mencionei a importância de aceitarmos de modo incondicional as nossas feridas. É igualmente necessário aceitar as máscaras. **Amar e aceitar uma ferida significa reconhecê-la, saber que você retornou a esta Terra para curá-la e aceitar que seu ego quis protegê-lo criando uma máscara.** Portanto, agradeça a você mesmo por ter tido a coragem de criar e cultivar uma máscara que contribuiu para ajudá-lo a sobreviver.

Hoje, entretanto, essa máscara o prejudica mais do que ajuda. Chegou a hora de se convencer de que pode sobreviver mesmo sentindo-se ferido. Você não é mais aquela criança incapaz de administrar sua ferida. É um adulto experiente e maduro, com uma visão diferente da vida, que tem a intenção de se gostar mais.

No primeiro capítulo, afirmei que passamos por quatro etapas quando criamos uma ferida. Na primeira, ainda somos nós mesmos. Na segunda, sofremos ao descobrir que não podemos ser nós mesmos, pois isso não interessa aos adultos à nossa volta. Infelizmente, os adultos não percebem que a criança tenta descobrir quem é e, em vez de deixarem-na ser ela mesma, ficam mais preocupados em lhe dizer quem ela deve ser. Na terceira etapa, reagimos à dor vivida. É nesse momento que a criança começa a ter crises e a resistir aos pais. Na última etapa, a da resignação, decidimos adotar uma máscara para tentar não decepcionar os outros e, sobretudo, não reviver o sofrimento decorrente de não termos sido aceitos quando éramos nós mesmos.

A cura será realizada quando você conseguir inverter essas quatro etapas, retornando à primeira, quando ainda é você mesmo. Nesse processo, a primeira coisa a ser feita é tornar-se consciente da máscara à qual você recorre.

Nesse processo de cura, a segunda etapa é vivida quando você se revolta ao ler esses capítulos ou resiste a assumir sua responsabilidade, preferindo acusar os outros pelo seu sofrimento. Tenha em mente que essa resistência é normal, afinal de contas você está descobrindo um lado seu que não aprecia, o que é desagradável. Essa etapa é vivenciada de modo diferente por cada um. Alguns sentem mais revolta e resistência que outros. A intensidade da sua revolta depende do seu grau de aceitação, de abertura, bem como do grau de sua ferida no momento em que você toma consciência do que está acontecendo em seu íntimo.

A terceira etapa é aquela em que você deve se dar o direito de se ressentir com um dos seus pais, ou com ambos. Quanto mais sentir o sofrimento que a criança em você viveu, mais compaixão terá por ela e maior será a intensidade com que atravessará essa etapa. É também durante essa fase que você se libertará de seus pais, sentindo compaixão pelo próprio sofrimento deles.

Por fim, a quarta etapa da cura é aquela em que volta a ser você mesmo, em que deixa de acreditar que precisa vestir suas máscaras para se proteger. Você aceita que a vida seja entremeada de experiências que servem para lhe ensinar o que é benéfico e inteligente para a sua jornada. É o que se chama de *amor-próprio*. Como o amor tem um grande poder de cura e reposição de energia, prepare-se para observar diversas transformações e melhorias na sua vida: tanto em suas relações com os outros quanto em seu corpo físico. Lembre-se de que gostar-se significa dar-se o direito de ser exatamente como você é aqui e agora e se aceitar mesmo fazendo aos outros o que censura em si mesmo. O amor não tem nada a ver com o que você faz ou possui. Amar-se é, então, permitir-se às vezes magoar os outros, rejeitando-os, abandonando-os, humilhando-os, traindo-os ou sendo, involuntariamente, injusto com eles. Essa é uma etapa importante na cura de suas feridas.

O amor verdadeiro é a experiência de ser você mesmo.

Para alcançar essa etapa mais rápido, sugiro que, ao fim de cada dia, você faça um balanço de tudo que aconteceu. Descubra a máscara que prevaleceu em você, fazendo-o reagir em determinada situação ou ditando sua conduta com os outros ou consigo mesmo. Em seguida, registre essas observações sem esquecer de incluir como se sentiu. Para terminar, perdoe-se, dando-se o direito de ter utilizado essa máscara, sabendo que naquele momento você acreditava, do fundo do coração, ser o único meio de se proteger. Ressalto que sentir-se culpado e acusar-se é o melhor meio para continuar a reagir da mesma forma sempre que uma situação análoga se apresentar.

Nenhuma transformação é possível sem aceitação.

Como você sabe que vivencia plenamente essa aceitação? Quando percebe que seu comportamento, que acaba de afetar outra pessoa ou você mesmo, é natural em qualquer ser humano e que você está disposto a assumir as consequências, sejam quais forem. Essa noção de responsabilidade é primordial no processo de aceitação. O fato de ser humano significa que você não pode agradar a todos e que tem direito a certas reações que podem desagradar: aceite-se sem julgar-se ou criticar-se.

A aceitação é, então, o elemento desencadeador da cura.

Para sua grande surpresa, você descobrirá que, quanto mais se permitir trair, rejeitar, abandonar, humilhar e ser injusto, menos o fará! Surpreendente, não é mesmo? Bem, se você entendeu tudo o que eu expliquei neste livro, não deve ter se espantado muito. Caso contrário, não lhe peço que acredite em mim, pois essa noção não pode ser compreendida intelectualmente. Ela deve ser vivenciada.

Repito essa grande lei espiritual em todos os meus livros, oficinas e conferências, pois ela precisa ser ouvida diversas vezes para ser assimilada. Ao se dar o direito de fazer aos outros o que você teme viver, a ponto de ter criado uma ou várias máscaras para se proteger, será mais fácil permitir que os outros ajam da mesma forma e às vezes tenham comportamentos que venham despertar suas feridas.

Tomemos o exemplo do pai que decide deserdar uma filha rebelde que se recusa a prosseguir os estudos e a se tornar "alguém na vida". Ela pode perceber essa decisão como uma traição, um abandono, uma rejeição, uma humilhação ou uma injustiça. Tudo depende do que ela veio curar nesta Terra. Conheci uma adolescente que viveu essa experiência e a sentiu como uma traição, pois nunca teria imaginado que o pai chegaria a tal extremo. Esperava que ele aceitasse suas escolhas e acabasse admitindo que ela tinha o direito de fazer o que bem entendesse de sua vida.

O único modo de ela curar essa ferida e parar de atrair situações em que vive a traição com outros homens é, em primeiro lugar, compreender que seu pai também se sentiu traído por ela.

O fato de a filha não corresponder às suas expectativas é uma forma de traição para ele. Ele pensa que ela deveria lhe ser grata por tudo que fez por ela, tornando-se uma jovem mais responsável e respeitosa. Também espera que um dia ela retorne para lhe pedir perdão e dizer que ele tinha razão. O que se passa entre o pai e a filha nos indica que esse homem viveu esse mesmo tipo de traição com a própria mãe e que esta, por sua vez, a experimentou com ele.

Verificando o que nossos pais viveram quando jovens, percebemos que a história se repete de geração em geração, até que um perdão seja obtido. Isso nos ajuda a ter mais compaixão e compreensão em relação a nossos pais. Quando você tiver descoberto suas feridas, sugiro que investigue se seus pais padeceram delas também. Lembre-se de que, embora não tenham necessariamente vivenciado experiências idênticas às suas, eles terão sentido as mesmas feridas e acusado os pais das mesmas coisas de que você os culpa.

Esse processo se torna mais fácil quando paramos de nos acusar pelos comportamentos ditados por nossas feridas e aceitamos que isso é parte de nossa condição humana. Sentimo-nos então mais à vontade para interpelar nossos pais sem medo de sermos acusados, e eles, não se sentindo julgados, têm mais facilidade de se abrir conosco. Ao conversar com eles, você os ajudará a consumar seu processo de perdão em relação aos próprios pais, ou seja, seus avós. Isso também os ajudará a se permitir ter feridas que os fazem reagir e se comportar como não pretendiam.

Quando conversar com o genitor com quem você viveu a ferida, sugiro que questione se ele experimentou a mesma ferida que você. Se, por exemplo, você é uma mulher e diz à sua mãe que viveu uma rejeição com ela desde a adolescência, pergunte-lhe se ela se sentiu rejeitada por você. Isso lhe permitirá liberar emoções represadas por muito tempo e quase sempre inconscientes. Graças a você, sua mãe poderá tornar-se consciente disso. Em seguida, tente fazê-la falar do que ela viveu com a mãe dela (esse exemplo se dirige igualmente aos homens com seus pais).

Ressalto que, se você idealizou o pai com quem viveu uma ferida e, principalmente, se o considerava um santo, é normal achar difícil recriminá-lo. Pense que, se esse pai era como um santo para você, era provavelmente porque ele tinha a ferida da injustiça e se controlava para não mostrar o que sentia. Em virtude do seu grande devotamento, as pessoas do tipo masoquista também podem passar a imagem de santos.

Eis algumas técnicas para você saber se suas feridas estão no caminho da cura:

- Sua ferida da *rejeição* está no caminho da cura quando você ocupa cada vez mais o seu lugar, quando ousa se afirmar. Mesmo quando alguém parece esquecer-se de sua existência, você consegue se sentir bem consigo mesmo. Tornam-se raras as situações em que você receia entrar em pânico.
- Sua ferida do *abandono* está em vias de desaparecer quando você se sente bem mesmo estando sozinho e procurando menos atenção. A vida é menos dramática. Você tem cada vez mais vontade de realizar projetos e, mesmo sem o apoio dos outros, consegue ir em frente.
- Sua ferida da *humilhação* está diminuindo quando você arranja tempo para observar suas necessidades antes de dizer sim aos outros. Você assume menos responsabilidades e se sente mais livre. Deixa de criar limites para si. É capaz de pedir ajuda sem se julgar importuno, ou mesmo chato.
- Sua ferida da *traição* está no caminho da cura quando você já não se sente tão mal quando alguém ou alguma coisa vem

atrapalhar seus planos. Você relaxa com mais facilidade. Esclareço que **relaxar significa deixar de se prender aos resultados, deixar de querer que tudo aconteça de acordo com o nosso planejamento.** Você não busca mais ser o centro das atenções. Quando experimenta orgulho após uma conquista, consegue sentir-se muito bem mesmo que os outros não a reconheçam.

- Sua ferida da *injustiça* está em vias de cura quando você se permite ser menos perfeccionista, cometendo seus erros sem vivenciar a raiva ou a crítica. Você se dá o direito de mostrar sua sensibilidade, se permite chorar na frente dos outros sem perder o controle e sem medo da opinião deles.

Outra maravilhosa vantagem de curar nossas feridas é deixarmos de ser dependentes afetivos. A autonomia afetiva é a capacidade de saber o que queremos e de empreender as ações necessárias para realizá-lo; e, se precisarmos de ajuda, sabermos pedi-la sem esperar que uma pessoa em especial nos auxilie. A pessoa autônoma não pensa "O que vai ser de mim sozinha?" quando alguém desaparece de sua vida. Passa um mau momento, mas sabe, no fundo, que pode sobreviver por conta própria.

Espero que a descoberta de suas feridas lhe proporcione muita compaixão por você mesmo e que isso o ajude a alcançar uma paz interior maior, vivenciando menos raiva, vergonha e rancor. Reconheço que não é fácil enfrentar o que nos faz mal. O ser humano inventou tantos meios para reprimir suas lembranças dolorosas que é muito tentador recorrer a um deles.

Em contrapartida, quanto mais reprimimos nossas lembranças dolorosas, mais elas se alojam em nosso inconsciente. E então, um dia, quando tudo se torna insuportável e atingimos o limite do nosso controle, essas lembranças afloram e nossa dor fica ainda mais difícil de administrar. Enfrentando essas feridas e curando-

-as, toda a energia que servia para reprimir e esconder nossa dor é finalmente liberada e pode ser utilizada para fins muito mais produtivos: para levarmos a vida que queremos, sem deixar de sermos nós mesmos.

Não se esqueça de que todos nós estamos neste planeta para **nos lembrarmos de quem somos e de que somos todos Deus, vivendo experiências no plano terreno.** Infelizmente esquecemos disso durante o caminho, ao longo de todas as nossas inúmeras encarnações desde o começo dos tempos.

Para nos lembrar de quem somos, devemos nos tornar conscientes do que não somos. Não somos nossas feridas. Sempre que sofremos, julgamos ser o que não somos. Quando, por exemplo, você sente culpa porque acaba de rejeitar alguém ou acaba de ser injusto, julga ser a rejeição ou a injustiça. Você não é a experiência, você é Deus vivendo uma experiência num planeta material. Outro exemplo: quando seu corpo está doente, você não é a doença; é uma pessoa vivendo a experiência de um bloqueio de energia numa parte de seu corpo, e chamamos essa experiência de doença.

A vida é uma série contínua de processos que nos conduzem à nossa única razão de ser:

NOS LEMBRARMOS DE QUE SOMOS DEUS.

Para terminar este livro, faço questão de listar para você os aspectos positivos, as forças dentro de nós que estão ligadas aos diferentes tipos de personalidade. Essas forças estão sempre presentes, escondidas em cada um de nós. No entanto, como já mencionei, elas são muitas vezes ignoradas ou mal utilizadas, devido à excessiva importância atribuída às nossas máscaras; tudo isso para evitar enxergá-las ou senti-las. Mas uma vez curadas as feridas, ou seja, quando voltamos a ser nós mesmos, eis o que podemos deduzir:

Por trás do *escapista* (ferida da rejeição), esconde-se alguém muito capaz, com boa resistência ao trabalho:

- Habilidoso, dotado de boa capacidade de criar, inventar, imaginar.
- Aptidão especial para trabalhar sozinho.
- Eficiente, pensa em inúmeros detalhes.
- Apto a reagir diante de emergências.
- Não precisa dos outros incondicionalmente. Pode muito bem ser feliz sozinho.

Por trás do *dependente* (ferida do abandono), existe alguém habilidoso, que sabe muito bem realizar suas demandas:

- Sabe o que quer. Tenaz e perseverante.
- Não desiste quando está determinado a obter alguma coisa.
- Tem dom para a comédia. Sabe atrair a atenção dos outros.
- Naturalmente engraçado, animado e sociável, reflete a alegria de viver.
- Capacidade de ajudar os outros, pois se interessa por eles e sabe como se sentem.
- Aptidão para utilizar seus dons quando os medos estão controlados.
- Talentos artísticos.
- Sociável. Mesmo assim, precisa de momentos de solidão para repor as energias.

Por trás do *masoquista* (ferida da humilhação), camufla-se alguém audacioso, aventureiro, talentoso em muitos domínios:

- Conhece as próprias necessidades.
- Sensível às necessidades dos outros, também é capaz de respeitar a liberdade de cada um.
- Bom mediador, conciliador.
- Jovial, gosta do prazer e deixa os outros à vontade.
- É de natureza generosa, solícita e altruísta.
- Talento organizador. Reconhece os próprios talentos.
- Sensual, sabe desfrutar do amor.
- De grande dignidade, demonstra orgulho.

Por trás do *controlador* (ferida da traição), esconde-se alguém que possui qualidades de líder:

- Com sua força, sabe ser tranquilizador e protetor.
- Muito talentoso e sociável.
- Grande capacidade de falar em público.
- Aptidão para perceber e valorizar os talentos dos outros, ajudando-os a adquirir mais confiança em si mesmos.
- Capacidade de delegar, o que ajuda os outros a se valorizarem.
- Entende rapidamente como os outros se sentem e destensiona o ambiente, fazendo-os rir.
- Capaz de administrar várias coisas ao mesmo tempo.
- Toma decisões rapidamente. Encontra aquilo de que precisa e se cerca das pessoas certas para entrar em ação.
- Capaz de grandes performances em diversos níveis.
- Confia no Universo e em sua força interior. Consegue relaxar completamente.

Por trás do *rígido* (ferida da injustiça), se esconde alguém criativo, com muita energia e dotado de grande capacidade de trabalho:

- Organizado; excelente para realizar um trabalho que exija precisão.
- Tende a se preocupar e zelar pelos detalhes.
- Capacidade de simplificar, de explicar com clareza quando ensina.
- Muito sensível, sabe o que os outros sentem, analisando os próprios sentimentos.
- Sabe o que deve saber no momento oportuno.
- Encontra a pessoa certa para realizar uma tarefa específica e a coisa exata a ser dita.
- Entusiasta, vivo e dinâmico.
- Não precisa dos outros para se sentir bem.
- Assim como o escapista, em caso de urgência, sabe o que fazer e faz por conta própria.
- Consegue enfrentar as situações difíceis.

Como você pôde constatar, algumas forças se encontram em mais de uma ferida. Elas se tornam então trunfos extraordinários para ajudá-lo a conseguir o que você quiser. Inclusive a se libertar das máscaras.

Repito que a criação de nossas máscaras exprime a maior traição de todas: a de termos esquecido que somos Deus.

Termino este livro oferecendo-lhe um poema do poeta sueco Hjalmar Söderberg:

Todos queremos ser amados,
Ou admirados,
Ou temidos,

Ou odiados e desprezados.
Queremos despertar uma emoção no outro, seja ela qual for. A alma estremece diante do vazio e busca o contato a todo custo.

AGRADECIMENTOS

Obrigada, do fundo do meu coração, aos milhares de pessoas com quem trabalhei ao longo de muitos anos, sem as quais minhas pesquisas sobre as feridas e as máscaras teriam sido impossíveis.

Agradeço, em especial, a todos que participaram do curso "Técnicas Eficazes em Relação de Ajuda". Graças à sua capacidade de se revelarem por completo, o material utilizado neste livro foi bastante enriquecido. Agradeço imensamente aos membros da equipe de Écoute Ton Corps, que participaram das minhas pesquisas e me forneceram diversos elementos para esta obra. Graças a vocês, continuo a cultivar minha paixão pela pesquisa e a elaborar novos estudos.

Para terminar, minha gratidão a todos que contribuíram de forma direta para a realização deste projeto, começando por meu companheiro Jacques, que, com sua presença, tornou mais fáceis as horas concentradas neste livro, bem como Monica Bourbeau Shields, Odette Pelletier, Micheline St-Jacques, Nathalie Raymond, Édith Paul e Michèle Derudder, que fizeram um supertrabalho de correção do original e, por fim, às ilustradoras Claudie Ogier e Élisa Palazzo.

The BE yourself workshop

Os ensinamentos práticos e dinâmicos do workshop Be Yourself (Seja você mesmo) podem ajudar todos aqueles que desejam melhorar sua qualidade de vida. Esta é uma oportunidade única de adquirir uma base sólida para conseguir aquilo que você realmente quer.

O workshop acontece no Canadá e é dividido em dois dias. Você pode escolher participar de uma ou de ambas as sessões.

DIA 1 SEJA SEU VERDADEIRO EU
deixando de lado como você acredita que deveria ser

Venha descobrir suas atuais necessidades e como satisfazê-las para se sentir bem e feliz. Aos poucos, você vai conhecer várias ferramentas diferentes, incluindo um passo importante na descoberta de quanto você se ama.

Entre outras coisas, você vai aprender a:
- identificar os medos e as crenças que servem de obstáculos à sua felicidade;
- descobrir o que impede você de ser quem deseja ser;
- lidar com a insatisfação e atingir a serenidade;
- usar as ferramentas simples e necessárias para estar em harmonia com você mesmo.

Ouse dar o primeiro passo e venha aprender como ser você mesmo!

DIA 2 SEJA VOCÊ MESMO COM OS OUTROS
melhorando seu relacionamento com eles

Venha descobrir por que seus relacionamentos e as situações em que se encontra nem sempre são como você gostaria que fossem. Então experimente e descubra, passo a passo, o que é possível fazer para que você possa estabelecer relações saudáveis e alcançar um estado de bem-estar com os outros.

Entre outras coisas, você vai aprender:
- o verdadeiro senso de responsabilidade, que vai libertar você dos sentimentos de culpa;
- a importância de fazer acordos, mas também de se permitir mudar de ideia;
- a identificar a fonte das emoções que prejudicam seus relacionamentos e como lidar com elas;
- dois métodos comprovados para melhorar as relações que estabelece com os outros.

Use as dificuldades enfrentadas em seus relacionamentos como um trampolim para melhorar seu bem-estar!

Por 30 anos, milhares de pessoas decidiram transformar suas vidas com o auxílio de nossas ferramentas. Você também pode começar hoje e ser você mesmo!

Entre em nosso site ou ligue para nós!
1-888-437-8382 ou 450-431-5336
www.listentoyourbody.net

LISTEN TO YOUR BODY
Learn to be happy

CONHEÇA OUTRO TÍTULO DA AUTORA

Escute seu corpo

O que acontece no nosso corpo muitas vezes é um reflexo da nossa mente. Por isso, Lise Bourbeau nos convida a uma jornada de cura para dentro de nós mesmos. Com sua ampla experiência como terapeuta, ela vai ajudar você a cuidar do que não está bem em sua vida – seja na saúde ou nos relacionamentos – e a estabelecer um canal de comunicação direta com seu corpo para reconhecer os sinais que ele envia.

Por meio de ensinamentos e exercícios, você ficará mais consciente do que se passa dentro de si e será capaz de atender às suas necessidades físicas, emocionais, mentais e espirituais.

Neste caminho transformador, você passará a aceitar todas as partes de si mesmo – até aquelas que prefere esconder. Sobretudo, aprenderá que o amor é a força primordial da vida, que nos permite alcançar a paz, a serenidade e a realização.

CONHEÇA OUTROS TÍTULOS DA EDITORA SEXTANTE

O corpo guarda as marcas
Bessel van der Kolk

O trauma é um dos grandes problemas de saúde pública atual, afetando não apenas sobreviventes de guerras e desastres naturais como vítimas de violência doméstica, crimes urbanos, agressões, maus-tratos, abuso sexual, abandono e negligência. Um dos principais especialistas no assunto, o Dr. Van der Kolk mostra como o trauma reformula o funcionamento do corpo e do cérebro, comprometendo a capacidade das vítimas de ter prazer, criar laços saudáveis, confiar nos outros e se sentirem seguras.

Com base em descobertas científicas recentes e em mais de 30 anos de trabalho clínico, ele apresenta tratamentos inovadores que oferecem novos caminhos para a recuperação de adultos e crianças ativando a neuroplasticidade natural do cérebro.

Pontuado por impressionantes casos de coragem e superação, este livro expõe o tremendo poder de nossos relacionamentos tanto para ferir quanto para curar e oferece uma nova esperança para recuperar vidas.

A arte da imperfeição
Brené Brown

Hoje em dia somos bombardeados o tempo todo por imagens de sucesso e perfeição. Isso nos faz acreditar que precisamos nos encaixar nas expectativas – nossas e dos outros – para sermos aceitos e felizes. Ficamos tão ocupados tentando agradar que acabamos perdendo contato com o que é mais verdadeiro, autêntico e sensível em nós.

Brené Brown nos encoraja a questionar a necessidade crônica de perfeição e nos mostra que aceitar nossas vulnerabilidades é o melhor caminho para relações mais próximas e uma vida significativa.

Através de sua sólida pesquisa e de emocionantes histórias, ela mostra como podemos nos libertar do perfeccionismo, da vergonha e do medo através das seguintes práticas:

- a coragem de ousar.
- a compaixão de nos perdoar.
- a conexão com as pessoas que amamos.

Já somos dignos de amor, pertencimento e valorização. O objetivo deste livro é que você se aproprie dessa verdade e se abra para um lindo processo de transformação interior.

A coragem de ser feliz
ICHIRO KISHIMI E FUMITAKE KOGA

Com 3,5 milhões de exemplares vendidos, *A coragem de não agradar* apresentou a conversa entre um jovem e um filósofo com ideias transformadoras baseadas no pensamento de Alfred Adler, um dos mais importantes psicólogos do século XX, comparável a Freud e Jung, mas que foi durante muito tempo esquecido.

Três anos depois daquela conversa, o jovem está de volta ao gabinete do filósofo, frustrado porque não conseguiu colocar em prática as ideias que aprendeu.

Pacientemente, o filósofo retoma seus ensinamentos, mostrando como a psicologia da coragem de Adler pode ajudar o jovem a se realizar e a ter relacionamentos saudáveis, tratando de questões como:

- Não são os eventos passados que determinam quem somos, mas o significado que damos a eles.
- Podemos escolher nossos caminhos a qualquer momento, mas é preciso entender por que não é fácil mudar a si mesmo.
- Para termos uma vida feliz, não devemos permitir que nosso valor seja decidido por outra pessoa.
- Nossa necessidade fundamental é a de pertencimento.
- Toda alegria tem base nos relacionamentos interpessoais.
- O amor é a mais desafiadora prova de coragem que existe.

CONHEÇA ALGUNS DESTAQUES DE NOSSO CATÁLOGO

- Augusto Cury: Você é insubstituível (2,8 milhões de livros vendidos), Nunca desista de seus sonhos (2,7 milhões de livros vendidos) e O médico da emoção
- Dale Carnegie: Como fazer amigos e influenciar pessoas (16 milhões de livros vendidos) e Como evitar preocupações e começar a viver
- Brené Brown: A coragem de ser imperfeito – Como aceitar a própria vulnerabilidade e vencer a vergonha (600 mil livros vendidos)
- T. Harv Eker: Os segredos da mente milionária (2 milhões de livros vendidos)
- Gustavo Cerbasi: Casais inteligentes enriquecem juntos (1,2 milhão de livros vendidos) e Como organizar sua vida financeira
- Greg McKeown: Essencialismo – A disciplinada busca por menos (400 mil livros vendidos) e Sem esforço – Torne mais fácil o que é mais importante
- Haemin Sunim: As coisas que você só vê quando desacelera (450 mil livros vendidos) e Amor pelas coisas imperfeitas
- Ana Claudia Quintana Arantes: A morte é um dia que vale a pena viver (400 mil livros vendidos) e Pra vida toda valer a pena viver
- Ichiro Kishimi e Fumitake Koga: A coragem de não agradar – Como se libertar da opinião dos outros (200 mil livros vendidos)
- Simon Sinek: Comece pelo porquê (200 mil livros vendidos) e O jogo infinito
- Robert B. Cialdini: As armas da persuasão (350 mil livros vendidos)
- Eckhart Tolle: O poder do agora (1,2 milhão de livros vendidos)
- Edith Eva Eger: A bailarina de Auschwitz (600 mil livros vendidos)
- Cristina Núñez Pereira e Rafael R. Valcárcel: Emocionário – Um guia lúdico para lidar com as emoções (800 mil livros vendidos)
- Nizan Guanaes e Arthur Guerra: Você aguenta ser feliz? – Como cuidar da saúde mental e física para ter qualidade de vida
- Suhas Kshirsagar: Mude seus horários, mude sua vida – Como usar o relógio biológico para perder peso, reduzir o estresse e ter mais saúde e energia

sextante.com.br